読む流儀

小説・映画・アニメーション

江藤茂博

言視舎

はじめに、として

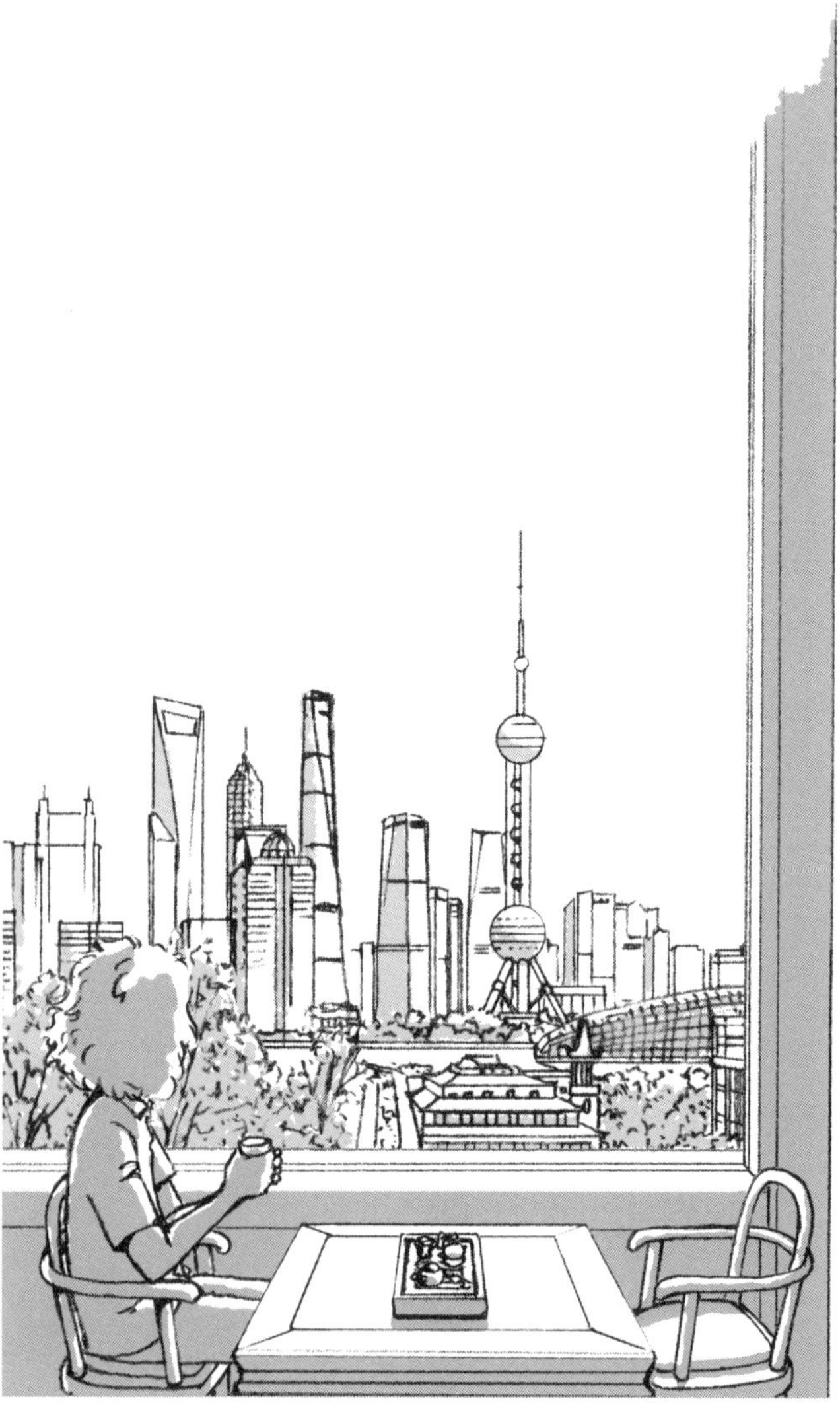

Ⅰ　お茶を楽しむことと小説や映画を愉しむことは同じである

小説テクストを読む行為は、たとえばお菓子をお茶で口にすることに似ている。お菓子は小説テクストで、お茶がいわば読むスタイルである。口にするのがどこかの老舗の和菓子であれ、あるいは有名なパティシエによるケーキであれ、お菓子そのものはそれとして同じなのだが、どんなお茶と一緒にそれを口にするかで、微妙なあるいは大きな味の違いが生まれる。

小説テクストも同じように、それをどのように読むのかで物語世界は変容する。すっかり変わってしまうことすらある。

つまりは、それぞれのお菓子の味が引き立つお茶もあれば、そうでないお茶もある。そしてお菓子の味すら変えてしまうお茶もあるということと同じなのだ。

ここではお菓子の味やお茶の味そのものを問題にするのではない。お茶によって生まれる味覚を対象とするということなのだ。

解読のスタイルによって生まれる物語世界の多様さを考えようと思う。

解読のスタイルがさまざまなように、お菓子と組み合わせるお茶の種類もたくさんある。「緑茶」、「烏龍茶」、「紅茶」それぞれに、産地や使う茶葉そして味を引き立てる水やその温度、またそれぞれの茶葉に合わせた作法などもある。同じく解読のスタイルも、理論家の書物や文学理論や批評理論の解説などで、世に広く喧伝されているものもある。お茶によってお菓子の味わい方を選ぶように、小説テクストの解読のスタイルもまた選べるのだ。

宇治のお茶がよその土地で流通したときに、それが「宇治茶」と呼ばれるようになったのと同じように、そして狭山のお茶がよその土地で流通したときに、「狭山茶」というブランドが生まれたように、理論も、時間や場所を超えて流通したときに、それと名付けられた読むスタイルのひとつになるだけである。

わかりやすい入門書のおかげで、やがてさまざまな理論も、ティーバッグのようにお湯に浸して味わうことができるような手軽なものとなった。ひょっとしたら、そこからの解読は、やはり深みのないものになってしまうのかもしれない。

現地の市場や茶畑に出向いて買い付ける楽しみもある。しかし、現地に行ってもティーバッグしか買えない人もいるだろう。

まわりくどくなったが、そのお菓子をどんなお茶と一緒に口にしようかと迷うことは、実は小説をどのように読もうかと、その解読のスタイルを選ぶことと同じ楽しみなのだと言いたいだけだ。

Ⅱ　好きなお茶の種類を選ぶことと文学や批評の理論

日本茶はほぼ「緑茶」なのだけど、この発酵させていないお茶は「緑茶」と呼ばれる。もちろん中国にも「緑茶」はある。「緑茶」には、「煎茶」や「玉露」のように茶葉を蒸すものや、中国の「龍井茶」のように炒るものもある。また、茶葉そのものを飲むことになる日本の「抹茶」もある。

お湯に浸して抽出液を飲むお茶に限るならば、「緑茶」のように発酵させていないものばかりではなく、茶葉の発酵の度合いで、「白茶」、「青茶」、「紅茶」、「黄茶」、「黒茶」と分けられる。また茶葉を臼で引いて固めた「団茶」というものもある。

よく知られている「烏龍茶」は「青茶」で、また「普洱茶」は「黒茶」である。

新しい理論が生まれたら、古い理論と入れ換えればいい。理論を含む解読のスタイルが変われば、小説テクストが示す物語世界は変容する。お茶を換えてお菓子を楽しむのと同じである。しかし、理論を含む解読のスタイルを換えた場合、味覚の問題ではなく、どのスタイルが、面白い世界を生むのか、そしてそれがより説得力を持つのかということが問題になる。

ちなみに、「青茶」には、「武夷岩茶」や「鉄観音茶」や「烏龍茶」、そして「水仙茶」ほかたくさんの種類がある。また、誰もが知っているように、「紅茶」は、その品種と生産地とで細かく分かれている。普通に並べられている文学理論や批評理論はそこまでの種別には分けられてはいない。もちろんこうした区分が楽しめないというのではない。ティーバッグに使われている糸の太さの違いでさえ楽しむことは可能だ。

18世紀に広がったヨーロッパでの紅茶文化は、同時にお菓子の文化も変えていったのだろう。

さまざまなお茶の種類と口にするお菓子との組み合わせによる、味わいの多様性は想像するだけで、果てしないモンゴルの草原に立つような気分になる。もちろん、ワインとチーズの組み合わせを、パリの百貨店の商品の前で悩む時も、やはりモンゴルの草原に立つような気分になるだろう。

文学理論や批評理論は、外来種にしては、洒落たフレンチレストランでディナーを注文することよりは単純明快だ。せいぜい定食屋で五つか六つのメニューから選ぶようなものだ。そしてそれらは、「サバの味噌煮」や「ハンバーグ」などのようにメリハリのある区分なので、目の前に理論や方法論が並べられたとしても慌てることはない。また理論そのものを読むことも必要だろう。ただ、哲学的な領域を愉しもうとしない限り、理論自体では何も完結しないので、やはりお菓子の横に置かれたお茶に例えていきたいと思う。

話の最初に戻るならば、お菓子もお茶もそれ自体を楽しむことができる。そのことをもちろん忘れているわけではない。むしろ中国はお茶だけを楽しむ文化である。そして、私もどちらかといえばお茶だけを楽しむほうだ。しかし、ここでいうお菓子やお茶の話題は、お菓子やお茶とは何かという問いに向かわない。

確かに文学理論そのものは、夏目漱石の「文学論」がそうであったように、結局は文学とは何かという問いに向かうことになるだろう。たとえば、お茶とは無関係に、パティシエの技術で作られたあるお菓子にだけ目を向けて、お菓子とは何かという問いを立てることもできる。さらにお菓子を作ったあるパティシエのほうに目を向けると、そこにもやはりお茶の味とは関係のない、いわゆる「作家論」という解読のスタイルが生まれる。そこからは、そのパティシエの関心事としてのお茶が登場することになるかもしれない。

Ⅲ　すべては変わることをここで確認しよう

お茶によってお菓子が生まれ、お菓子によってお茶が選ばれる。お菓子とお茶は、それが生まれる環境や受け取る私たちの変化によって、味や意味が変わる。それと同じように、新しく登場する小説テクストだけでなく、それを読む理論を含む解読のスタイルもまた変化する。何百年も続く老舗のお菓子といえども、時代によってその味を変えていかないと、売れなくなってしまう。お茶は、気候変動による茶葉の変化もあれば水質の変化もあるだろうし、茶葉に香り付けしたり、茶葉を他の植物に置き換えたりするものもある。いずれにせよ、変化しないものはない。

「紅ほのか」や「金時」といったさつま芋は、野菜と区分されている。それをレモンや砂糖や水と一緒に煮て、リチャードジノリの「ベッキオ」の皿に移す。輪切りのレモンを添えて、和三盆を適量振りかける。やはりリチャードジノリの「ベッキオ」のティーカップに「普洱茶」を注ぐ。さて、皿の上の芋は、そのまま野菜か、惣菜か、お菓子のどれなのか。もし「普洱茶」ではなく、茶碗の白飯をその横に置くと総菜になるのだろう。

しかし、ティーカップの横にはお菓子がふさわしい。そして、どのお茶を注ぐのかによって、この、和三盆ふかし芋スライスレモン添えの味も、そしてまたお茶自体の味わいも変わることになる。

小説テクストに一度使われた文字そのものは変わらないけど、読む側での文字の意味は変化していく。誰もが日本の古典の勉強で、古辞書類を引くことになり、それを知る。あるいは、丁寧な語注が付されていて、それを読まないと理解できないことから、意味の移り変わりを知ることもある。当然のことだが、言葉の意味は長い時間の流れのなかで変化していくのだ。消えていく言葉もある。そして、古典学のように使われた言葉の時空に戻りながらテクストを読むことを目論むこともあるだろう。それでも私たちはその時空を生きているわけではない。

小説テクストの意味や価値だけでなく、理論を含む解読のスタイルの意味や価値もまた時代とともに変化していく。

単に使われている言葉の意味が変わるからだということではない。必要とされる理論を含む解読のスタイルもあれば、もはや何の意味も持たなくなる解読のスタイルもあるということだ。砂糖が溢れている時代には、それを固めただけのお菓子は必要とされないのと同じだ。もちろん、個人的な趣味の問題ならば別である。砂糖がとても好きなひとだっているに違いない。

すべては変わる。松尾芭蕉の「不易流行」とは、ヘラクレイトスの万物流転を知ることで手に入る不易というものを指していると思う。不易と流行との二項対立ではなく、それは相互性の問題なのである。

鴨長明「方丈記」にある、「ゆく川の流れは絶えずして、しかももとの水にあらず」もまた、絶えず変化している水の流れがあるからこそ、川がそこにあるということにもなる。そして、その逆もまた然り。川と水の流れを別物として分けることはできないのである。

小説テクストと理論を含む解読のスタイルもまた別物として分けることはできない。

Ⅳ　余白に意味はないが茶器で味は変わることもある

お茶に合う茶器があり、お茶に合うお菓子がある。小説テクストにも、そのイメージに合う装丁があり、それとは別に、より面白く読むことができる解読のスタイルがある。誰でもすぐにわかることだが、茶器と作法とが別物であるのと同じくらい、装丁と解読のスタイルは別物である。

装丁で内容が左右されるわけではない。そして、私は器を洗うことを愉しみにしたいために、普段使いの器に江戸期の古伊万里を使っている。

京セラのセラミックフライパンを中火のガスコンロであたためる。そして卵をバターで柔らかく炒める。そこにレタスを適当にちぎって入れて、さらにさっと火を通す。そして、江戸期の古伊万里の染付の中皿によそおう。そこに、しっかりと油を落としたカリカリのベーコンを添える。そして、やはり古伊万里の染付のなます皿にエクストラバージンオリーブオイルを入れて、まず軽く焼いたフランスパンをそれに浸して食べる。蕎麦猪には、濃いめの珈琲を急須で注ぐ。もちろん、蕎麦猪口も急須も、すこし大ぶりの古伊万里である。

古伊万里を使っても、味が変わるなどということはない。器を洗うという極めて個人的な愉しみは変わらない。古伊万里の染付の青が洗い水で鮮やかさを取り戻すのだ。

たとえば、かつてこう言われたことがある。詩集の余白は重要なのだ、文庫本で読むやつの気が知れない、と。学生時代だったと思う。私がひたすら古本で全110巻の「講談社版現代日本文学全集」を集めていた頃のことだ。どの文学全集の詩集の巻もとても便利だった。頁に三段組や四段組となっていて、多少長い詩も一目瞭然なのである。文字のサイズというものは読むことに多少は影響を与えるものかもしれない。

1970年代末の第二次アニメーションブームは、テレビアニメを映画館のスクリーンで観たいということから始まった。『宇宙戦艦ヤマト』である。多くの家庭には小さなブラウン管テレビしかなかった時代だ。宇宙空間は、大スクリーンでなければ迫力に欠けるのだ。大スクリーンで観る、これも映像テクストの解読スタイルの一つだろう。

ただ、ここでは映像テクストも小説テクストのように解読する。解読の対象となるものは、すべてテクストである。

しかし書籍の余白もスクリーンの余白も、外部の余白は余白以外のなにものでもない。

空っぽの頭には何も生まれないと同じだ。そして、情報が何もないところから読み取ったものは、単なる妄想でしかない。

茶器でお茶の味が変わるわけではない。茶器によって口に含む茶と空気の量が変わるのだ。味が変わったと思うならば、お茶の味というものが本来空気によって変化しやすいものだということを知る。もちろん、空気と余白とは違う。さらに書くならば、余白によって詩の意味が変わったと思うならば、余白に意味があったのではなくて、意味が変わりやすい言語表現がそこにあったということだろう。

V　お茶を楽しみながら書いた文章、文章を楽しみながら口にするお茶

これは21世紀の最初の頃に私が書いた文章を基にしたものである。20世紀の終わりから、仕事で中国に渡ることが多くなった。また、それを好んだ。生まれ育った長崎のチャイナタウンあたりと街の雰囲気が似ていて、とても親近感を覚えたからでもある。アメリカでも、ヨーロッパでも、オーストラリアでも、チャイナタウンには必ずと言っていいほど私は立ち寄った。

そして、この20年間で、中国の30以上の大学を訪問し、お茶をいただいた。応接室でいただいたし、レストランでいただいたし、お土産にもいただいた。私も、負けまいと日本茶をプレゼントした。これは、そうしたいろいろなお茶を飲みながら書いた文章でもある。

酒を飲みながら書いた文章は文学になる。そんな金言を口にした古代詩人がいたという。もちろん私は酒を口にしなかったわけではないが、中国文化の中では、特にお茶を楽しんできたような気がする。これはさまざまなお茶を飲みながら、それを用意してくれた友人や教え子たちに話しかけるように書いた文章なのである。そして、この文章もまたさまざまな対象を、さまざまに論じている。

その時々に、理論を含む解読のスタイルを意識して、中国の大学や日本の大学の授業で語ってきた。そして、それを文章にした。文章がいただいたお茶の品質に遠く及ばないのは、ひとえに私の力不足のせいである。まして、対象としたそれぞれのテクストに対しては、さらに及びようがない。フィールドが違うのだと、捨て台詞を口にしたくなる。

お茶を飲みながら、講義の内容を考え、そして学生たちの前で話す。話すとすぐ、香り拡がる湯気のように私の話も消えてしまうほうがいいのかもしれない。もちろん、私の話に銘茶の香りを期待してもらっては困るのだが。

さて、ここそこに言葉を置いてみても、せっかく美味しいお菓子とお茶を口にすることができたのに言い尽せないことがある。テクストを解読しても、どこか過剰なことをしてしまったと気が滅入る場合がある。お茶の香りには物質が先行しているが、テクストそれ自体は文字記号などの塊でしかない。そのために、小説などのテクストを解読することで生まれる物語世界を共有するには、共通のコードと読みの論理性そして論証性が求められる。そのことで私たちは解読された世界を通じたコミュニケーションも可能になる。物質性が先行し、記号性が稀薄な、いわゆる香りというものは、あえて何かにたとえることなく、ただ成分の分析があれば十分なのかもしれない。一方、記号性の集合体を解読する、その理論を含む解読のスタイルには、論理性や論証性がなければ、ただの個人的な感想でしかない。

最後に、お茶の話に戻ろうと思う。茶外茶という茶がある。茶の木は、ツバキ科の植物だが、その茶の木以外のお茶のことである。日本では、「麦茶」や「蕎麦茶」などが普通に出回っている。中国では、杭州の「菊花茶」と海南の「苦丁茶」が私の印象に残っている。

「麦茶」は、やかんに煮出して冷やして飲むのが、夏の風物詩でもあった。ペットボトルのそれも登場はしているが、やはり夏場の飲み物なのだろうか。冬場で手にしている人をあまり見かけたことがない。また、「蕎麦茶」のペットボトルもあるが、それを特に好んでいる人とはまだ出会ったことはない。ただ、私の場合、かなり知り合いが少ない人間なので、このことが一般的な傾向だというわけにはいかないだろう。

「菊花茶」は、浙江省では古くからのお茶である。漢方的な飲まれかたがされるという。また河南省開府にも「菊花茶」があり、いずれも縦長で透明な耐熱ガラスのコップに頭状花を入れて、そこにお湯を注ぐと、ふわりとしたビロードの菊花が開いたようになる。この「菊花茶」だけは古伊万里ではなく縦長で透明な耐熱ガラスのコップを私は使うのだ。

それに対して、「苦丁茶」はその名の通り苦いお茶だ。中国の友人たちとレストランで油の濃い食べ物と一緒にこのお茶を飲んでいた。どんなに油濃い物をたくさん食べても、このお茶があれば大丈夫だという。彼らには、油濃い物は食べないという選択肢はないのだ。

「苦丁茶」を飲みながらの肉料理や魚料理には、さすがに私には無理な場合もあったが、河南省の「菊花茶」はいまでもときどき楽しんでいる。ガラスのコップの黄色い花の揺らぎは、子供の頃に遊んだ野山でそよぐ風の記憶のような懐かしさを覚える。

さて、ここでお気に入りの茶器だけを手元に置いて、後は棚にしまうことにしよう。お茶をめぐる話はここで終わることにする。ここからは、七つの言葉と七つのテクストを巡っての理論を含む解読のスタイルを愉しむことにしたいのだ。もちろん、お気に入りのお茶をゆっくりと口に運びながら先に進もうと思う。

目次

第1章

「観客」

新海誠『ほしのこえ』

「観客」であることを自覚してみよう

映画やテレビの物語は、その画面や音声から与えられる情報を受けた「観客」や視聴者が、自らの内にその物語を再構築することになる。「観客」や視聴者が再構築した内なる物語を、ここでは物語と呼ぶことにする。それは「観客」や視聴者によって解読された物語と呼んでもいいだろう。もちろん、情報をスクリーンやモニターから受け取ることになる個別の具体的な「観客」や視聴者は、それぞれに異なるバックグラウンドを持っている人たちである。しかも、時空を超えたさまざまな人たちであることは間違いない。

ただそうした受容者の個別性を超えて、映画やテレビドラマなどの情報の塊としての物語は、「観客」や視聴者に「あらかじめ設定された主題性」を共有させようとする。主題性を共有させようとするのは、作品の力あるいは物語の力ということができる。その作品あるいは物語として「あらかじめ設定された主題性」を受容する「観客」や視聴者は、与えられたその情報の塊を個別的な体験と重ねながら「あらかじめ設定された主題性」通りの物語として再構築することもあれば、また、新たな体験として「あらかじめ設定された主題性」とは全く別の物語を再構築することもあるだろう。そうした新たな体験として再構築された物語、つまりここでいう物語もまた、実は社会がすでに持っている大きな物語やちいさな物語等に縁どられていることもある。

物語として与えられた情報の塊に、どのような物語喚起力があり、同じく受けとめた「観客」や視聴者にどのような物語再構築の力があるのだろうか。そうした情報の塊、つまりテクストを前にした、テクストと「観客」の相互力学のなかで、私にとっての理想的な「観客」の力学というものをここで描くことが、この映像の物語がどのようなテクストであるのかを考えることになると思う。ここでのテーマは、こうした「観客」の力学としたい。

I　60年代文化の「観客」もいれば、90年代文化の「観客」もいる

2002年2月に公開された短編アニメーション映画『ほしのこえ』は、新海誠の最初の劇場公開作品である。フルデジタルアニメーションとして、新海誠自身でほぼ全て制作した(注1)ということでも話題となった。監督・脚本だけでなく、オリジナル版では声の出演も(注2)担当した。

このアニメーション映画『ほしのこえ』は、中学三年生のミカコ（長峰美加子）とノボル（寺尾昇）の二人だけが登場する物語で、その背景には人類の国連宇宙軍と地球外生命体タルシアンとの闘いがあった。コンビニに一緒に立ちよる仲の良い二人は、同じ高校へ進学しようとしていたが、ミカコが国連宇宙軍のタルシアン調査隊のリシテア艦隊の選抜チーム（戦闘要員）に選ばれてしまう。

時代は西暦2040～2050年代の近未来社会である。そのために、高校にひとり進学したノボルと国連宇宙軍の戦闘要員であるミカコとの間には、携帯電話のメールで文面を取り交わす、遠距離恋愛めいたものが始まる。

少しずつ移動していくミカコとノボルには、それを埋める手立てはない。お互いのコミュニケーションは、その携帯電話のメールだけで、さらにシリウスα・β星系にワープする前にミカコは、ノボルに「ねえ、私たちは、宇宙と地上にひきさかれる、恋人みたいだね」とメールする。ミカコからのメール文と、音声で示されるメール文とは、ここでは一致しているが、その後必ずしも一致しているわけではない。先のミカコの言葉はメールの文面でも示されてる。しかし、大人になったノボルの携帯電話のメールの文面が示すように、ミカコの言葉がそのままノボルの携帯に示されるわけではないのだ。こうしたメール文を含む二人それぞれの言葉と記憶、それに異なる二つの速度の時間（注3）が交錯する物語世界がここから展開するのである。

『ほしのこえ』では、地球と宇宙空間とを行き来するテクノロジーを持つ近未来社会が舞台である。地上では鉄道が走り、遮断機が下りて、コンビニが営業し、バスも走っているようだ。21世紀初頭の身近な社会生活がそのまま近未来化したかのような物語空間が設定されていた。

それに比べて、1960年代のテレビアニメーション『鉄腕アトム』（注4）の21世紀は、夢のようなハイテク社会が描かれていた。AIロボットとの共存社会はもちろん、近未来のパーソナル交通手段も、コミュニケーションツールも、夢のテクノロジーであり、その描かれ方も含めてリアリティは問題とされていない。逆に、そうであるからこそ、子供たちはここに未来社会の夢を愉しむことができたのかもしれない。

『ほしのこえ』の「観客」とテレビアニメーション『鉄腕アトム』の視聴者が受容した未来社会という夢は、表現技術の向上が招いた結果ではなく、それぞれの時代の未来観の反映として考えるならば、60年代の視聴者さらには社会の背景が見えてくる。

1945年の敗戦で廃墟となった都市部では、新しい街が建設されていく。続く50年代半ばからの高度成長期は、さらに都市部の様相を変えていく。オイルショックの時代をはさみながらも、基本的には80年代後半のバブル経済まで、日本の都市部は大きく変貌していくのである。

『鉄腕アトム』に描かれた未来社会は、そうした進化発展する技術社会を象徴するものだった。全ては新しくなっていくという都市部は、実は敗戦で焼け野原になったために可能になった再建であり、人口増による地方の若者を都会が吸収していく過程での、文化的な新しさの急激な広がりでもあった。『鉄腕アトム』に描かれた未来の都市空間は、ラフな絵柄ではあったが、進化発展する未来社会の風景を確信したその基層には、B29の空爆で焼け野原となってしまった都市部の再建が既視感を支えるものとしてあったのだろう。

もちろん、テレビアニメーションの『鉄腕アトム』をトレースして『ほしのこえ』を受容する世代は、間違いなくマイノリティであることは確かだ。では、『ほしのこえ』を受容する中心世代としての21世代初頭の「観客」の未来社会観は、どのようなものとして形成されてきたのだろうか。

そうした世代を2000年前後に10代の終わりを迎える人たちと仮定して、インターネット世代としての文化を持つということができる。すでに90年代の、スーパーファミコン発売、デジタル化した携帯電話の普及やウィンドウズ95の拡がりなどが世代的な共有文化である。たとえば、1996年公開の日本映画『(ハル)』(注5)では、パソコン通信によるコミュニケーションと恋愛が、『ほしのこえ』とも通じる設定だが、ネットからの出会いという真逆の方向から設定されていた。また、『ほしのこえ』と同年に小説が発表された嶽本野ばら『下妻物語』では、ロリータとヤンキーという本来は結びつかないものが、都心からかなり離れたローカルな街で出会い、いわば流行の最先端と時代遅れの若者文化をパロディのように連鎖させていく。中島哲也監督による映画化作品(注6)は2004年5月に公開された。

この世代にとって、都市と田舎という区分は、情報化社会のなかで、もはや密集性による利便性以外の格差はあまりない。せいぜい『下妻物語』で笑いの対象になるぐらいで、小さくは公園や商業施設、やや広げるとテーマパークや観光地と生活空間、さらには自国と他国といった異質な空間によるコラージュ状態が、今日交通網等の発達によって現前した社会空間となっている。具体的には、日本でも福山駅に隣接するお城の横を新幹線が走り、フランスではボルドーの18世紀のレンガ造りの街中をハイテクなトラムが走り抜ける。そんな日本の地方都市からフランスの地方都市へも、まる一日もあれば誰でも移動できる時代なのだ。

すこし迂回し過ぎたが、そうした現実のコラージュ的空間の反映として、『ほしのこえ』の未来社会もまた、日常生活のなかに、旧来の鉄道やコンビニがコラージュされていたのである。そこが、第二次世界大戦後の焼け野原から復興した「アトム」世代の21世紀像とは異なっていた。

Ⅱ　四つの物語を統合するのは「観客」だ

ミカコのメール文もノボルのメール文も、相互に向けられていながら、ミカコが「このメールが地球に、ノボルくんに届きますように」と願うように、書いた文面のすべてが携帯電話の画面で相手に表示されるわけではない。(注7) 彼らが書いたものと彼らが語った言葉とを統合しながら、一部欠け落ちたものもある。わずかなメール文での二人の会話の世界を中心に、私たち「観客」はこの物語を再構築する。しかし、二人が共有している過去は、それぞれの記憶のなかでの世界でしかない。そこには、かつてのミカコやノボルがいたにせよ、今は不在の時空でしかない。ミカコの側にノボルはいないし、ノボルの側にミカコはいないので、その記憶を確かめることもできない。

繰り返すと、二人は会話しているわけではない。それぞれの閉じられた生活のなかで自問自答しているようなものだ。場面となる記憶のなかの世界は、ミカコとノボルそれぞれの記憶であり、共有しているものがあったとしても、それがどこかを確認することはできない。しかも、実際に起こっていた具体的な場面に向ける視点は、「ノボルくんに会いたいだけ」のミカコの回想(注8)と「一緒に高校に行けるかなと思っていた」ノボルのリニアな時間の歩みとでは異なっていたはずだ。ミカコの回想の世界とノボルの現実の世界と、それぞれ異なる視点での記憶の世界とが、メール文が交わされることを二人の間のリアルな事実として、ここにひとつに統合された物語が再構築されていく。

ひとつの物語に統合するのは、ミカコでもノボルでもなく、それは「観客」なのである。ミカコであってもノボルであっても、「観客」のようにこの物語世界を俯瞰できるわけではない。「観客」こそが、ミカコの回想と記憶、そしてノボルの現実と記憶、この四つの物語空間を、ミカコとノボルのひとつの物語として統合しているのであった。

1. ミカコの回想〔2047.9.16〕
2.（回想の中の記憶）

＋

3. ノボルの現在まで

＋

4. ノボルの記憶

四つの物語の統合

二人それぞれ中学生の頃の記憶は、二人が共有する視覚的な回想場面とされている。ただ二人にとってのその回想場面は、いずれも身近な場所が設定されていた。彼らの学校からの帰り道でのささやかな風物が回想場面の中心となっていたのである。回想される地上の風物が、例えばコンビニや自転車そしてバス停などの日常的な場面であることで、逆にミカコの宇宙空間での戦いという非日常性を際立たせる。絵柄としても戦闘美少女ものと学園ものとが組み合わされて、壮大な時空の物語がここに現前化することになるのである。

登場人物がほぼ二人だけであるにもかかわらず、そして実際にはほぼ交差しない二人の会話なのに、物語世界の大きさが「観客」を魅了する。いや、「観客」が物語世界の大きさを編み上げていく。物語世界の大きさは、距離以外には実はどこにも描かれていない。それはむしろ、私たち「観客」がイメージできる世界観による大きさなのだろう。

いわゆるセカイ系(注9)という言葉で、この物語を閉じられた世界のそれとして片付けようとしているのではない。ちいさな日常に必ずあるはずの、向こう側(注10)というものについて、「観客」側である私たちが、どのようなイメージを持ち、そしてどのような世界観を持っているのかを、ここであらためて気付かせてくれるのだということを指摘したいのだ。

Ⅲ　増える言葉が大雑把さと純粋さを奪う

言葉は世界を共有するためのきっかけでしかない。ここでいうコミュニケーションの成立(注11)とは、もちろん言葉の単なるやりとりではなくて、そこに相互にそれぞれの価値観も共有できたかどうかということを含み持っている。それぞれの価値観の共有というのは、必ずしも言葉のやりとりによってのみ図るものではない。しぐさや行為など、言葉に表さないでそれと示すさまざまな非言語的表現などへの共感や違和などでもまた、私たちはコミュニケーションを行なっている。

まだそんなに数多くの言葉や非言語的表現記号に囲まれていない子供の頃、私たちはまわりの仲間たちと親しくなれた。それは子供の表現環境とそれに結びついた価値観の大雑把さがあったからだろう。しかし、大雑把だったからといって、それが本質的なものではなかったとは言えない。誰もが過去の自分には戻れないので、大雑把な価値観を共有した記憶は、その大雑把さの指摘に向かうよりは、価値観を共有できた至福を懐かしむようになる。大雑把であることと純粋であることは、決して矛盾しないからだ。やがて言葉が増えると、それぞれの価値観も複雑な差異に彩られ、なかなか価値観の共有を手にすることができなくなる。そんな経験は誰もが持つものである。

そうであるならば、同級生としてのミカコとノボルの間には、おそらくはわずかばかりの言葉しかなかった。いや、持っている言葉が少なかったとも、大人ならば言える。そして、だから純粋なのだとも。「観客」が二人の親しさを知るのは、中学の仲のいい同級生、剣道部という部活の仲間であったことを知らされているに過ぎない。

話を少しばかり戻すと、それらの言葉で、彼らは何を共有していたと言えるのだろうか、という問いは大人のそれでしかない。中学生の二人が仲良く自転車に乗っていたから、あるいは同じ高校に進学しようとしていたから、さらに地上と宇宙でお互いのことだけを考えているから、たとえお互いの言葉はわずかでも、そこにコミュニケーションの成立が可能なのだと「観客」は信じ込むわけではない。ミカコやノボルと同世代の「観客」ならば、それは当然のこととして、二人の純粋さを受け入れるだろう。そして、先の至福を二度と手にすることがない、いわゆる大人の「観客」は、回顧的に純粋さとはそういうものかもしれないと受けとめるのだろうか。

ミカコとノボルの地上と宇宙でのそれぞれ別の時間の経過のなかで、かつて共有された時空が彼らのそれぞれの記憶として懐かしまれる。それは二人のコミュニケーションが「観客」のなかで成立するのを補うための方策でしかなかった。ほとんど交信できない彼らにとっては、時間を遡り過去の記憶に頼るしかないと「観客」が信じたいからだ。そこにはわずかばかり共有できた過去の時空があった。そして、共有されていたことを確認するかのような、「なつかしいもの」をミカコとノボルは交互に言葉を重ねていく。

「ミカコ！　ミカコからのメールは二行だけで、後はノイズだけだった。でも、これだけでも奇蹟みたいなものだと思う。

ねえ、ミカコ。オレはね、……」
「私はね、ノボルくん、なつかしいものがたくさんあるんだ。ここには何もないのだもの。たとえばね、……」
「たとえば、夏の雲とか、冷たい雨とか、秋の風の匂いとか……」
「花壇にあたる雨の音とか
　春の土の柔らかさとか
　夜中のコンビニの安心する感じとか……」

と、なつかしいものを挙げていくお互いのモノローグ(注12)が場面に重ねられながら、その背景としてのタルシアンとの戦闘音が拡がる。ミカコとノボルとの同質的な感性の表現がそれぞれの言葉が重なることで示されているのだろう。しかし、それらを統合するのはやはり「観客」であることを忘れてはならない。ここでも繰り返すが、この物語は、四つの物語を統合する「観客」の中でこそ成立する。そして「観客」の持つ抒情性によって自ら織り上げる純粋さあるいは純真さの物語となる。

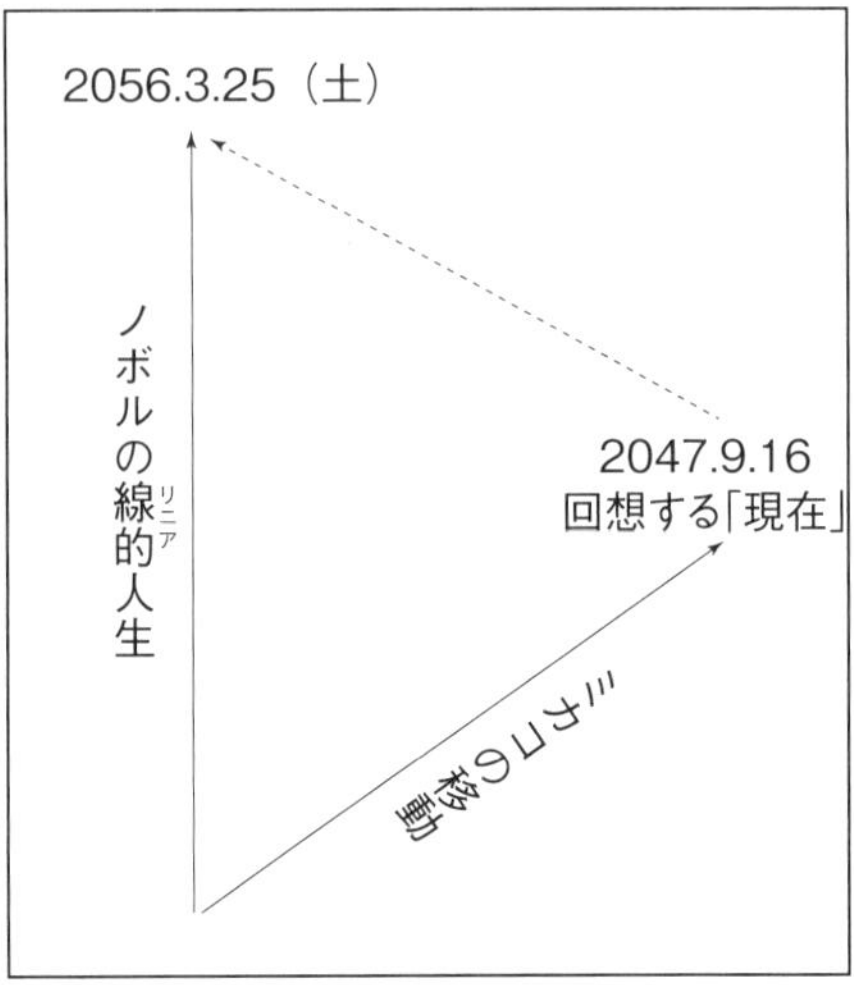

こうしたラストシーンでも、ミカコは戦闘員としてロボット型戦闘機（注13）を操縦していた。地上にいるノボルに会いたいという気持ちを持ちながらも、いわば戦いの日々を過ごしているのだ。そしてこれまでのミカコの回想は、この戦闘が終わり、宇宙空間を漂っている時点からのものだったことが、「観客」に示された。一方、ノボルは学校生活を終えてこれから防衛軍に入隊するという線的な時間を生きてきたなかでの回想であったし、モノローグであった。入隊は、ミカコが宇宙で戦っていることと無関係な選択肢ではなかったはずだ。ノボルにだけ目を向けるならば、「届かぬメールを待ち続けることのないように、心を硬く、冷たく、強くしよう」と、少年のいわゆる精神的自立と成長を描いていた。そのために、ノボルだけは線的な時間を歩ませる。

こうした、本来ならば近未来宇宙戦争ドラマになりそうな設定のなかで、ミカコとノボルの恋心を組み込むことで、戦いを背にした二人の純真さが明確に縁どられるのである。二人が遠く離れていることの理不尽さは何も説明がつくことではない。ただ、そのことで、離れている二人の心情のみが顕在化しているのだ。具体的なコミュニケーションの不在と、それぞれの相手への想いだけが観客によって重ねられることで、いわば純粋さあるいは純真さの抽象化が高まることになった。

Ⅳ　「ここにいるよ」というモノローグ

もちろん、それぞれが語る想いは、先に示したように、かつて共有された時空の記憶を起点としたものである。その記憶へのそれぞれの想いが、ミカコもノボルも同じであることを「観客」は知る。それは、まだ異質性と出会っていない、無垢な連帯感[注14]としての恋心を観客に連想させる。もう一度余計なことを書くならば、一時期の共有された時空の記憶からだけ組み立てられた相手への想いであれば、いずれにせよ同質性が強くなる傾向が生まれるものなのかもしれない。その同質性を根拠とする無垢な連帯感を、『枕草子』ののづくし[注15]を思わせる言葉の世界で、ミカコとノボルの決して交わるはずのないそれぞれのモノローグがラストに用意されていたのである。

そこに生まれる叙景的な映像詩は、物語空間の広大な闇のなかに、ミカコとノボルのそれぞれの一途な想いとして響かせる。そして、重なるはずのない二人の言葉が、物語内現実を超えて、また物語内空間も超えて、「観客」を安堵させる。なぜならば、彼らの「ここにいるよ」という物語の結びの言葉が、遠く離れた二人がお互いに見失うことなく、精神的に寄り添ってきたことを示したからだ。

宇宙と地上とでそれぞれ他者を見失いがちになっていた二人であったが、ここに「私はどこにいるの」という冒頭のミカコの回想のなかでの自問に答える彼女の成長をみることができたのかもしれない。自分にとっての他者とは、自ら手に入れるものでしかないのだ。そして、自分がどこにいるのか、また何者なのかを理解することで、自分にとっての他者の存在の意味も見出すことができるのだろう。そのために結びは「ここにいるよ」という自己認知の言葉でもあったのだ。

注1　「『ほしのこえ』は2000年の初夏から会社勤めのかたわらに制作をはじめ、その後1年近くは仕事と並行しての遅々とした制作進行だったのですが、2001年の初夏に思い切って会社を辞め制作に集中できる環境を作り、2002年の年明けに完成にこぎ着けまし

た。初公開は下北沢の短編映画館トリウッドで行い、２月２日から３月１日までの一ヶ月間でトリウッド動員最多記録である３、４８４名を記録することが出来ました。脚本・作画・編集などを一人で行った自主制作フルデジタルアニメーションですが、今回のＤＶＤ発売も多くの方々のご尽力があってこそ」（ＤＶＤ『ほしのこえ』所収『ブックレット「ほしのこえ」The voice of a distant star』２００２年４月19日コミック・ウェーブ・フィルム発売）

注２　声の出演については、注１の『ブックレット「ほしのこえ」The voice of a distant star』で、「（ノボル役は僕自身が演じています。すみません、はい）」との新海誠による記述がある。

注３　特殊相対性理論での運動体の時間の遅れについては、地上と移動する宇宙船での時間の速度の違いがよく取り上げられる。

注４　原作漫画は光文社の『少年』１９５２年４月号から掲載された手塚治虫の『鉄腕アトム』である。テレビアニメーション『鉄腕アトム』は、１９６３年１月１日から放送された。

注５　日本映画『（ハル）』は、森田芳光による監督脚本作品で、東宝から配給された。

注６　嶽本野ばら『下妻物語　ヤンキーちゃんとロリータちゃん』では、北関東のローカルさやロリータファッションやヤンキーといった明確な周辺文化だけでなく、「尾崎豊」や「偽ブランド」、「イジメ」や「ともだち」など、10代の若者にとってのリアルなテーマがバランスよくばらまかれている。このことと、『ほしのこえ』を比較するならば、ミカコとノボルの

間には、純化した関係性だけがそれぞれの主観にのみ存在していることがわかる。

注7　携帯の画面は、ただ観客に差し向けられた情報として、度々スクリーン画面に示される。冒頭でも、「サービスエリア外」という表示が、それに続くミカコのセリフ、ミカコの世界＝携帯の電波が届く範囲という漠然とした考えと結びついている。観客は、瞬時に示される携帯画面からの文字情報を、物語の展開や登場人物のセリフと結びつけることができるかどうかで、生まれる物語世界が少し変わることもあるだろう。

注8　注7で説明した、携帯画面からの文字情報を結びつけたならば、ミカコの登場する場面は、すべて２０４７年９月16日での回想ということが考えられる。「サービスエリア外」と表示された携帯の画面には、２０４７年９月16日（月）と表示してあったからだ。

注9　前島賢『セカイ系とは何か』（星海社文庫２０１４年４月10日）では、「『最終兵器彼女』『ほしのこえ』『イリヤ』が排除したもの」という章で、「この3作品が、現在ではセカイ系の代表作と呼ばれている。しかし、これらの作品は物語に注目しても、大きな差異を抱えているのはすでに述べたとおりだ」といい、夏葉薫のウェブサイトを引用し、その3作の「差異」を示す。そして、「にもかかわらず、この3作がセカイ系の代表作であるとする議論は、比較的広範に受け入れられている。そしてまたこれらの作品が何かを排除しているという認識でも共通しているようだ。では、この3作品は、本当は何を排除していたのか？　すでに、ご理解いただけているかもしれないが、それは社会や中間領域ではない。これらの作品で排

除されたのは「世界設定」なのである」(p.90-91)という。

注10　ここで「向こう側」とあいまいな表現したのは、漠然としたままの世界観の謂いであり、この物語における十分には描かれていない世界観が、観客によって補われる前の状態のことを示したかったからである。たとえば、２０４７年9月16日(月)に、ミカコが回想しているのを、戦闘で死んだ後と考えるならば、「向こう側」の世界は霊界のようなものになる。ただ、ここでは、２０５６年3月25日(土)のノボルの部屋の新聞で示されたリシテリア号一隻のみの無事帰還ニュースを、ミカコの生還として解釈した。この場合の「向こう側」は地上ではないという意味である。

注11　コミュニケーションの成立については、学問の領域によってそれぞれの概念規定があるとは思うが、ここでは言葉という概念も含めて、文化的な記号体系とそれによる意思疎通という意味で使っている。

注12　モノローグ(独白)は、『ほしのこえ』の物語表現の特色ある設定として誰もが指摘する点である。登場人物が自分の届かない想いを心の内に表明することで、その感傷性が観客に直接伝わるような仕掛け。

注13　ロボット型戦闘機としたのは、『機動戦士ガンダム』のモビルスーツと同じような機能のものという意味である。ゲーム機器の操作と重なることで、仮想的なリアリズムが手に入る。

注14　この無垢な連帯感が、いわゆる日常を持つノボルだけが大人になっていくという不均衡を

支えていた。もちろん、ノボルのこうした現前化は、彼だけが線的な時間を生きていることによる。

注15　『枕草子』は、300余りの文章を、ものづくしや、自然や日常、そして記録的なものなどに分けられている。ここでは、『枕草子』を類聚段、随想段、日記段に分けた場合の、類聚段のことをものづくしと書いた。この「なつかしいもの」という二人のモノローグから連想される枕草子の段は以下の箇所である。「過ぎにしかた恋しきもの。枯れたる葵。雛遊びの調度。二藍、葡萄染などのさいでの、押しへされて草子の中などにありける見つけたる。また、をりからあはれなりし人の文、雨など降りつれづれなる日、さがし出でたる。去年の蝙蝠扇」。ただ、『枕草子』をこうして三つに分けることについては、赤間恵都子『歴史読み枕草子』（三省堂　2013年3月31日）で、「伝本を活字にする際に、読みやすいように章段の区切りをつけ、通し番号を打ったのは現代の『枕草子』の著者たち」と断り、国文学者池田亀鑑が「章段をその内容から類聚段、日記（回想）段、随想（随筆）段の三種類に分類し」たことを同書で読者に案内されていた。『枕草子』のこうした分類は、文字テクストの解読の話なので、観客ではなく、読者の力とこれを呼ぶことができるだろう。ただ、『ほしのこえ』の観客が『枕草子』の類聚段を連想して、より歴史的にも広がりのある物語世界を生み出したことも考えられると思う。

第2章

「伏線」

江國香織『デューク』

誰も自分の人生に「伏線」なんて仕掛けることはできないけど

物語が展開していくなかで、その後に起きる出来事などを前もって暗示しておく手法がある。唐突に見える出来事も、そうした「伏線」と呼ばれる手法によって、たとえ物語が一見意外な展開に向かっても、読者などの物語受容者はそれと納得させられることになる。むしろ、それもまた物語を受容する面白さのひとつとなる。小説などを読んでいて、あの場面はそういう意味だったのかと、「伏線」という巧妙な仕掛けに思わず嬉しくなるときもあるくらいだ。謎解きを楽しむミステリー作品ならばなおさらのことである。逆にそうした「伏線」がなければ、読者は新たな展開や出来事が受け入れられない場合があるかもしれない。いやその前に、自分が何かを読み落としているのではないかと不安になってしまうこともある。

こうした「伏線」の逆の意味を考えると、たとえば「明線」や「導線」ということになるのだろうか。しかし文芸用語には「明線」や「導線」という語は見かけない。物語などの展開があからさまで、そしてどこか誘導されているように受け取られてしまうならば、それはリアリティの欠如となってしまうからだ。もちろん「伏線」といっても、それによってリアリティを失うようでは、手法として有効ではないのだ。

この「伏線」と似ていて非なるものに、「誤読誘導」と「誤読の罠」と「ノイズ」がある。

一般的にミスリードという表現で示される、誤った方向に導く仕掛けを、ここでは「誤読誘導」とする。たとえ誤った方向や考えに読者が向かっても、それは単なる誤りでしかないものである。ミスリードしない読者がいても、物語の展開には無関係である場合の仕掛けをここでは「誤読誘導」としたい。

それに対して、「誤読の罠」は、読者などの物語の受容者にあえて間違った理解を与えようとするもので、その間違った理解も含めて、物語の新しい展開を読者に与えようとするものである。「誤読の罠」とは、間違った方向を読者に必ず与えることができるように配置されていること、そしてそれが間違った解読だと読者の誰もがいずれ気がつくようになっていること、さらにはその間違った解読を含むことによって物語世界が豊かになることと等が求められるだろう。

そして「ノイズ」とは、「伏線」でも、また誤読を引き起こす罠でもない、ただ表現として配置されているだけのものである。映像では、セットでない場合などで、たまたま無関係な景色や人が「ノイズ」として映り込むことがあるだろう。しかし、小説は書かれてある以上、ある表現を「ノイズ」と読むわけにはいかない。そうであっても、その表現をその小説から削ったとしても、なんら物語の展開や主題性に影響しないならば、それは「ノイズ」のようなものと考えていいのかもしれない。

もちろん、「ノイズ」のようなものと考えられていた表現が、物語全体との有機的な関係が発見されることがあるかもしれない。そのような場合、「ノイズ」は「伏線」または「誤読の罠」という名称になるだろう。いずれにせよ、表現の意味あるいは役割を考えるのは読者であり、その解読によって物語世界は変わるのである。そして言葉を愉しむのに必要なのは、表現に対する繊細な感受性なのだろう。

さて、人生にも「伏線」があればいいと思う。ただ、結果は誰にもわからないので、たとえ「伏線」を張ったとしても、それが思う通りの「伏線」になるかどうかの保証はない。何事にも保証がないのが人生である。まあ、人生の場合は、予兆や前ぶれ、もっとロマンを感じさせる予感という言葉がある。それもまた、結果からの都合のいい記憶の再発見でしかないなどと書いてしまうと、夢がない話になってしまうのかもしれない。しかし、そんな人生のあり様に気がついたときに、私たちは物語の意味と価値を知ることになるのだろう。

さて、ここでは各言葉の意味だけでなく、その言葉が重ねられて組み立てられると、その組み立てられたかたちによって、たとえ同じ世界や出来事についての言葉であっても、全く異なる姿になってしまう。このことは、もちろん言葉で出来ている文学も同じである。

ここでは、そうした文学で使われる言葉に関する知識やそのテクストの組み立てや手法を手に入れて、主題を発見することを楽しんでもらいたいと思う。そのために、江國香織『デューク』を取り上げることにした。この『デューク』には、「伏線」をはじめとして、さまざまな仕掛けがあり、豊かなイメージが浮かび上がるようにできている。「伏線」を中心に、それらを丁寧に取り上げて解読したいと思う。

Ⅰ　「二十一にもなった女」が登場するには理由がある

江国香織の小説『デューク』は、語り手(A)でもある主人公「私」という「二十一にもなった女が、びょおびょお泣きながら歩いている」場面から始まる。もちろん、彼女から見えるものを語るという意味で、彼女が視点(B)人物でもある。その彼女が飼っていた、デュークという「プーリー種という牧羊犬(注1)」が死んだのだ。

では、なぜ主人公の女は「二十一」歳の設定なのだろうか。もっと若くてもいいだろうし、もっと年取っていても構わないはずだ。泣くのに年齢は関係ない。しかし、この小説を少し読み進めると、このデューク、「わが家にやってきた時には、まだ生まれたばかりの赤んぼうで」、「死因は老衰」とあった。とすれば、デュークはおおよそ二十歳以下で「老衰」死（注2）したことになるのだ。

つまり、この「私」の年齢設定は、直接に表現されてはいないが、デュークの年齢の設定でもあったのだ。もちろんこのことが、「泣きながら電車に乗った」時に、「無愛想にぼそっと言って、男の子が席をゆずってくれた。十九歳くらいだろうか、白いポロシャツに紺のセーターを着た、ハンサムな少年だった」という記述にある「十九歳くらい」と結びつくことになる。デュークとも「私」とも結びつくのである。

Ⅱ　デュークについての説明だったのに

小説には、後の場面での唐突さを防ぐために「伏線（C）」を張ることがある。繰り返すことでもないのだが、特にミステリー作品では、事件の謎を解くための布石として、この「伏線」が配置されていることが多い。ここでは、デュークが死んだ翌日に、「私」がアルバイト（注3）に向かい、泣きながら電車に乗ると、先にも引用したように「ハンサムな少年」が登場した。この「少年」は一体誰で、どんな役割を果たすために現れたのだろうか。そのことは、実はすでにデュークについての「私」の説明で「伏線」が張られていたのだ。

　デュークは、グレーの目をしたクリーム色のムク毛の犬で、プーリー種という牧羊犬だった。わが家にやってきた時には、まだ生まれたばかりの赤んぼうで、廊下を走ると手足がすべってぺたんとひらき、すーっとお腹ですべってしまった。それがかわいくて、名前を呼んでは何度も廊下を走らせた。（そのかっこうがモップに似ていると言って、みんなで笑った。）たまご料理と、アイスクリームと、梨が大好物だった。五月生まれのせいか、デュークは初夏がよく似合った。新緑のころに散歩につれていくと、匂やかな風に、毛をそよがせて目をほそめる。すぐにすねるたちで、すねた横顔はジェームス・ディーンに似ていた。音楽が好きで、私がピアノをひくと、いつもうずくまって聴いていた。そうして、デュークはとても、キスがうまかった。

（『デューク』）

「悲しみでいっぱい」の主人公「私」から、デュークへの回想的なこうした説明が続く。それは、「少年」と喫茶店に入り、彼が「オムレツたのんでいい」といったこと、プールで泳いだ後に「アイスクリームを買っ」たこと、銀座の小さな美術館でインドの細密画を見た「少年」が「古代インドはいつも初夏だったような気がする」といったことなどと、結びつくものだった。つまり、「少年」の好みや言葉は、実はデュークを連想させるものだったのだ。そうしたデュークと「少年」を重ねることができるような「伏線」がすでに張られていたのである。さらに、「知らない男の子とお茶をのんで、プールに行って、散歩をして、美術館をみて」と、再びプロット[D]が繰り返されるように語られ、また悲しみにくれることになる。

それにしても、ジェームス・ディーン[注4]をまだ知っている人たちはどれくらいいるのだろうか。いや、そんな心配は必要ない。読み進むと、彼が「ハンサム」と結びつく人物であることはわかるはずだ。

Ⅲ　あれ、君たちどこに行くの、と心配してしまう読者だっているのだ

小説に書かれてある文字情報から、その読者である私たちは、物語の場面や小説世界の

イメージ(E)を組み立てることになる。当然、そのイメージには、読者自身が以前からすでに取得している情報も組み込むことになるだろう。こうした、書かれてある文字情報に読者の知識が織り込まれて成立する状態が、テクスト(F)を読むということだ。では、小説テクストは、勝手に読めばいいのだろうか。そうではない。もちろん正しい読みかたがあるわけではないが、より豊かなイメージを手にできるすぐれた読みかたを求めたほうがいいということなのだ。

たとえば、電車で少年と出会い、彼と一緒に喫茶店に入った「私」は、アルバイトの仕事を休む電話をかけた。「じゃあ、きょうは一日ひまなんだ」と少年は「ぶっきらぼうに言」い、「喫茶店をでると、私たちは坂をのぼった。坂の上にいいところがある、と少年が言ったのだ」とある。

ここまで読んだ読者で、少し混乱する人がいるかもしれない。渋谷で坂の上とくれば、道玄坂(注5)あたりのなんだかいかがわしい場所かなと思う人がいてもおかしくはない。さらに、宮益坂(注6)ならば青山に向かうことになるぞと思うかもしれない。渋谷は坂ばかりの街だ。

しかし、すぐに「彼が指さしたのは、プールだった」と続く。読者の知識量の多少によってさまざまな方向に広がった場面イメージは、ここですぐにちいさな場面に収斂することになる。そうしなければ、混乱したまま、どんなイメージも成立しなくなるのではないか。

もちろん、こうした錯綜するイメージ生成は、テクスト解読で生まれたひとつの力学なのだ。つぎに、何故にプール？と思うかもしれない。確かに「十二月の、しかも朝っぱらからプールに入るような酔狂は、私たちのほか誰もいなかった」と「私」も呆れている。しかし、このような誰もいないプールだからこそ、泳げない「私」が、「とつぜんぐんっと前にひっぱられ、ほとんどころぶようにうつぶせになって、私は前に進んでいた」という不可思議な出来事が起こるのだろう。また、この様子を、散歩で犬にひっぱられている場面イメージと重ねることもできるだろう。もちろん、重ねたほうがいいのか、重ねないほうがいいのかは、どちらが豊かなイメージを手にできるのかということに尽きるのだ。

Ⅳ　街のイメージが登場人物やその行為や意味を支配する

渋谷には、「背が高く、端正な顔立ちで、私は思わずドキドキ」するような、そんな少年が多いのかもしれないと思ってしまう。かっこいいシブヤ系とオタクなアキバ系[注7]いう二項対立[G]のイメージがあって、東京の若者を二分しているような錯覚にも陥っているからかもしれない。現実はそうでないのだろうが、そうしたレッテルというものは強固なイメージを生む。

しかし、少年は「白いポロシャツに紺のセーター」姿であることを思い出して欲しい。少年の服装は、80年代後半から90年代にかけての、いわゆる渋カジ風でもないのだろう。まじめで控えめというところか。そうした記号としてのファッション（H）が読者に意味を与えようとしているようだ。つまり、12月という季節、「似たようなコートを着たおつとめ人たち」のなかで、少々薄着かなと思わないでもないが、そのようなファッションの雰囲気を持つ少年だからこそ、プールに誘ったのだ。

次に、街は、渋谷から銀座に「地下鉄に乗って」移ることになるのだが、これは東京で一番古い路線でもある銀座線（注8）である。帝都東京の最初の地下鉄銀座線は、１９２７年に上野と浅草間で開通、渋谷と銀座が地下鉄で一本に繋がるのは、１９３９年以降のことである。この、「今度は私が、〝いいところ〟を教えてあげる番」なのだとあるが、その場所が銀座なのである。銀座ならばと、安心して読み進めることができる君は、かなりの東京の都市通かもしれない。あるいは、街の記号性やレッテルイメージに支配されているのかもね。

Ⅴ　輪廻転生の仏教と降誕祭のキリスト教が出会う

銀座の小さな美術館で古いインドの細密画を見て少年は、「古代インドはいつも夏だったような気がする」と言う。冒頭でのデュークを紹介している回顧表現に、「五月生まれのせいか、デュークは初夏がよく似合った」いう箇所があり、いわば「夏」の季節で、デュークの前世の記憶と重なるという「伏線」で呼応するのだろう。この「古代インド」の記憶を語っているようにも聞こえる少年の言葉が、仏教文化のコンテクスト[1]を持つ私たちには、少年が輪廻しているようにも受け取れるのだ。そして、このあたりから、物語は不可思議な世界に変容していくことになる。

二人は「落語を聴きにい」くことになるのだが、少年が落語を好きだということから、「デュークも、落語が好きだった」という記憶と結びつく。デュークと少年の共通点を「私」は語る。そして、「私」には、デュークが死んだことでの「悲しみがもどってきた」というのだ。物語の出発に戻った「私」と共に、生前のデュークと共通する事柄を幾つも示されて、それらを「伏線」と受け取った読者ならば、自分たちがいつの間にか不可思議な世界にたたずんでいることに気がつくだろう。

登場人物たちと一緒にあたりを見まわすと、「大通りにはクリスマスソング（注9）が流れ、うす青い夕暮れに、ネオンがぽつぽつつきはじめていた」のだ。クリスマスには、奇跡がよく似合う、と思うのは西洋かぶれの私だけか。そうした解釈共同体（K）があるといってもいいのかもしれない。奇跡を巡るクリスマス映画（注10）は数多くあるからだ。ここからも、少年はデュークとして読むように差し向けられてしまう。

Ⅵ　さりげない言葉が鋭く奇跡の物語を物語る

デュークを思い出して悲しみの底にふたたび沈んでしまった「私」は、少年が「今年ももう終わるなぁ」と言っても、「来年はまた新しい年だね」と言っても、「今までずっと、僕は楽しかったよ」と言っても、気のない返事を返すだけだった。しかし、「今までずっと、だよ」と少年が繰り返した時、ここの場面の意味は変わる。

「なつかしい、深い目が私を見つめた」と続くと、少年にデュークが重なり始める。さらに、「少年は私にキスをした。私があんなにおどろいたのは、彼がキスをしたからではなく、彼のキスがあまりにもデュークのキスに似ていたからだった」という展開で、少年とデュークがほぼ重なってしまう。そうであっても、デュークが少年だとはどこにも書か

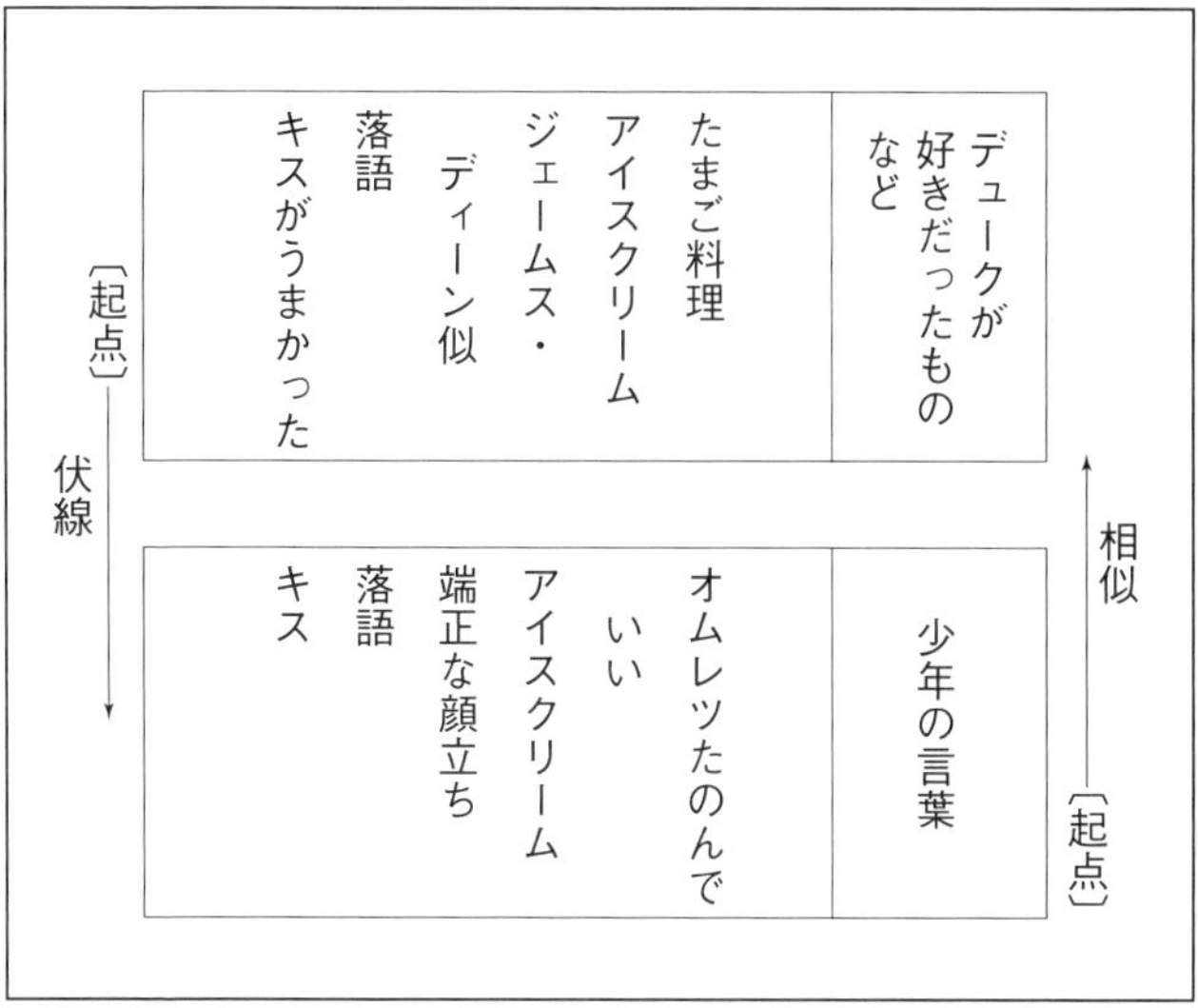

れてはいない。そのことは、明示された表現からは決定不可能[1]なことである。しかし、読者は、輪廻としてではなく、まさにクリスマスの奇跡と読むことを選ぶだろう。そして、「あんなにおどろいたのは」という表現で、すべてが回想の出来事として、主人公「私」によって物語化されてしまう。少年の「僕もとても、愛していたよ」というセリフにある、「も」で共有されるお互いの愛情がここで示されていて、お互いにそれを確認するかのようだ。すでに「私」がいかにデュークを愛していたかは書かれてあった。

　こうして、短編小説『デューク』での物語はあわただしく終わることになる。テ

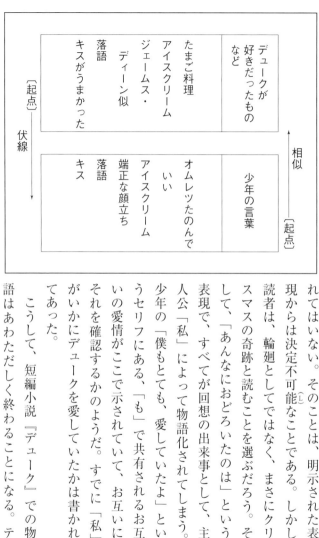

ーマ(M)は愛と悲しさとつぶやいてみても、感動からは遠くなるだけだ。たいていのひとの日常にも、突然と降ってくるような、別れの悲しみとそれを忘れる努力が必要なときがある。そうした、悲しみとそれに耐えて忘れようとするこの二つのベクトルが、いうまでもなくこの物語に緊張を与えていたのだ。物語に生まれたこの二つのベクトルを背景にして、悲しみのなかでの再会の奇跡に託された、別れの言葉の深遠な響きに、私たちはこころを揺さぶられることになった。

注1　牧羊犬が人間の役に立つ犬として訓練されるのに適した種類であることを考えると、この設定が登場人物の少年の行動に結びつくという説明ができないわけではない。

注2　犬の平均寿命は、一般的には14年から15年ということのようである。私が子供の頃に実家で飼っていた犬は、どれも20年近く生きていたと思う。

注3　作品発表当時の設定として「私」の仕事がアルバイトなのは、職場との関係性をやや薄くして、個人的な悲しみなどを前景化するためか。

注4　ジェームス・ディーン　James Byron Dean　１９３１年2月8日－１９５５年9月30日は、映画『エデンの東』（１９５５）、映画『理由なき反抗』（１９５５）、映画『ジャイアンツ』（１９５６）などを代表作とする映画俳優。交通事故死のために四年間の映画俳優人生だった

が、以後伝説的に語られることも多く、また彼の写真も商業的に使用されている。

注5　道玄坂は、渋谷駅前ハチ公像の辺りから目黒区に向けて、道玄坂上交差点までのゆるやかな上り坂。周りは商業施設で賑わっている。70年代末くらいか、後輩の実家のちいさな喫茶店もあったが、いまはなくなっているようだ。

注6　宮益坂は、渋谷駅から、青山通りに向かうゆるやかな上り坂。

注7　おしゃれな渋谷の街にたむろする若者とアキバの若者との明確な区別が存在したのは、『電車男』（２００４年10月）の時代がピークかもしれない。

注8　銀座線は、都心部を結ぶ地下鉄として発展してきたが、郊外との相互直通運転をしていない路線なので、密度の高い都市空間を連想させる鉄道と言えるかもしれない。

注9　クリスマスソングは、商店街の歳末セールで流れる曲。たぶん流れるのは12月25日までなので、小説で描かれた物語世界が12月１日から25日までの間の出来事ということになる。12月であることは、プールの場面で「私」がすでに口にしていた。

注10　クリスマス映画としては、ジョージ・シートン監督の映画『三十四丁目の奇跡』（１９４７）がもっとも有名な作品だろうか。もちろん、クリスマスを題材にした映画はたくさんあることはよく知られている。

解読のための用語

（A）**語り手**：物語を語る位置にいる存在を人格化した表現。その人格性によっては語りに影響を与えることになる。

（B）**視点**：物語世界の遠近法や様式を設定することとなる、物語が語られる位置。

（C）**伏線**：後の場面での唐突さや違和感を避けるために、情報などをあらかじめ提示すること。

（D）**プロット**：あらすじとして示される、表記された物語での事件や出来事の配列。

（E）**イメージ**：小説などの言語テクストの場合は、その言語表現によって喚起される心像。

（F）**テクスト**：ラテン語の「織る」を語源とする、解釈以前の、作者とも無関係な、本文そのもの。

（G）**二項対立**：相互性を持ちながら、それらが一対となる、相反する意味の組み合わせ。構造主義的な分析をする場合に物語内部の構成要素として把握。

（H）**記号としてのファッション**：シニフィアンとシニフィエの記号機能を持つ、その意味内容を伝えるための規則にのっとって使用する衣類。

（J）**コンテクスト**：表現の意味内容に一定の方向性を与える働きを生む、前後の文脈のこと。

（K）**解釈共同体**：事やイメージを含む、ある表現に対しての共同の意味や解読行為を手にしている社会文化集団。

（L）**決定不可能**：テクスト解読で生じた意味の矛盾によって、首尾一貫性が崩れること。

（M）**テーマ**：作品から生じて、その全体を支配する、当該および隣接ジャンルのなかでほぼパターン化された抽象的な概念。

第3章 「言葉」

チャン・イーバイ『上海』

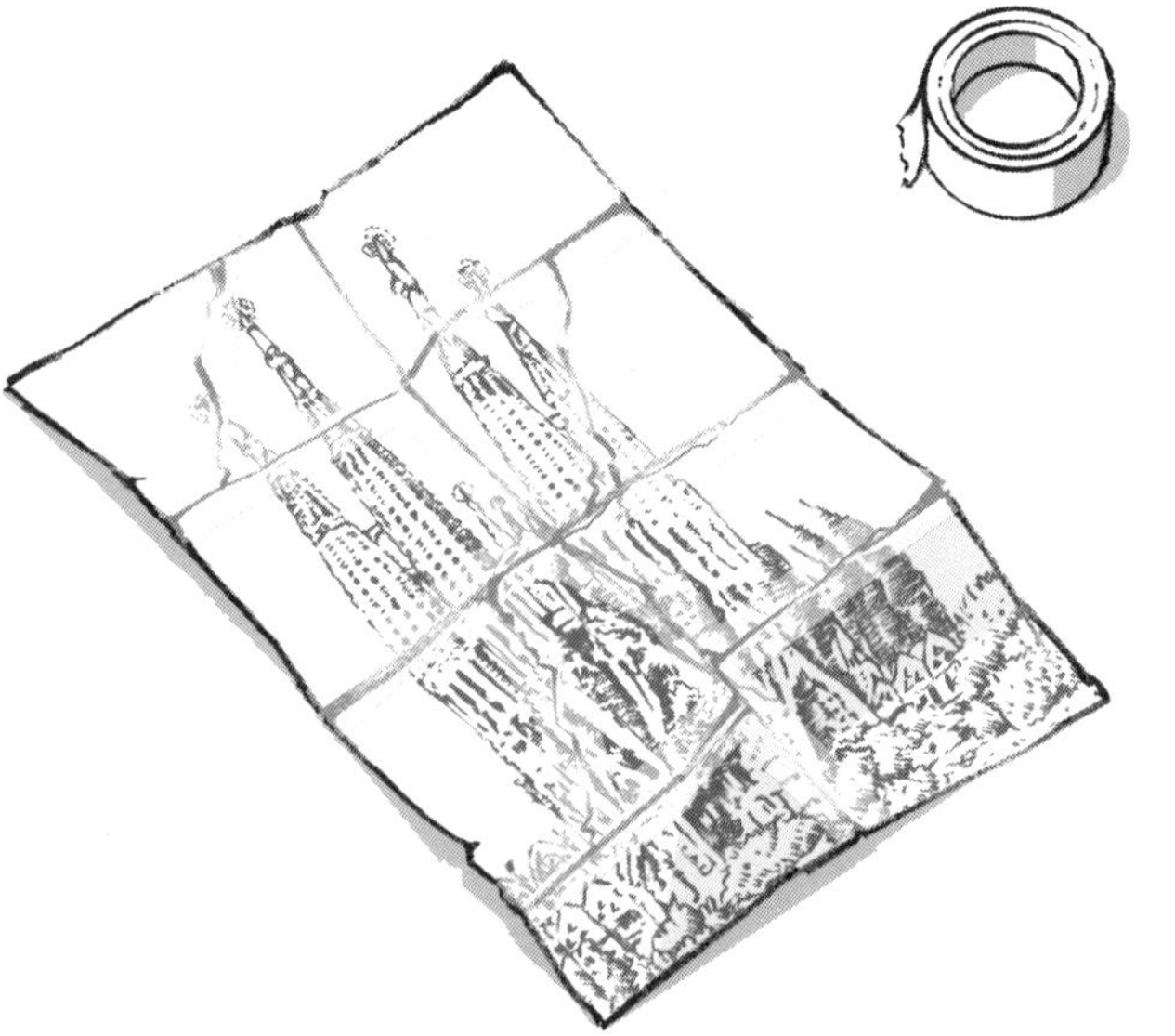

聞こえてくる言葉や目に入る言葉に囲まれている日々から逃げだせるのか

「言葉」を持つからこそひとであり、文化が生まれたそもそもの理由がそこにあるのかもしれない。しかし、実際に「言葉」を交わす場面では、それを発するひとの好意やまた悪意などが、直接にまた間接にも貼りついていて、口を閉ざしたり耳を塞いだりしたくなることもある。だからといって、何も貼りついていない「言葉」などは、まるで抽象的な記号のようでしかなく、いくら重ねられても、そこに現れるのは通り一遍の解説書のようなものだ。ただ、「言葉」を受け取る側もまたそこにいろいろな意味を貼りつけて、都合のいい意味世界を組み立てようとするのも事実である。ここでは、そんな「言葉」の力学が働く映像テクストを取り上げてみたい。

まず、小説テクストは、すべてがほぼ「言葉」によって組み立てられている。たいていは印刷物の形態になっているが、ネット上でのデータというものも増えてきた。私たちはその「言葉」の意味することを受け取りながら、そこに組み立てられている物語世界を手に入れようとする。ただ、小説テクストの「言葉」は、語り手や登場人物「私」からの「言葉」ということもあれば、物語世界のその他の登場人物のセリフということもある。

またそこには著名な書物や金言からの引用もあれば、書き手が付した注もある。こうしたさまざまな水準に配置された「言葉」を受け取り、「言葉」の意味することを辿ることで、またそれらを重ね組み立てることで、そこに生まれる多様な物語世界を読者は楽しむのである。

それに対して、映像テクストは、聴覚的なさまざまな水準の「言葉」と視覚的な画像記号データが集合的に観客や視聴者へ向けられる。さまざまな水準の「言葉」が聴覚的に向けられるとともに、さまざまな画面の文字情報が、「言葉」として視覚的に向けられるのだ。街並みの看板の文字も、手紙の文字も、テーブルの上のワインのラベルも、Tシャツの単語も、流れる音楽の歌詞も、さらには字幕の文字すらも、観客や視聴者に向けられた「言葉」なのである。映像テクストは、そうした聴覚や視覚による「言葉」の意味するところと、画面の視覚情報の意味するところとを統合して生まれる物語世界である。では、映像テクストは観客や視聴者にどのように統合させようとするのだろうか。このことを、聴覚的な「言葉」と視覚的な「言葉」の力学としてここでは考えようと思う。

I　恋・恋愛・愛についての個人的な考えをまず述べようと思う

恋とは、幻想である。そして恋する根拠がどこにもないからこそ、その幻想は膨らむことになる。もし根拠があるとすれば、恋する本人の知識総体によるものでしかない。よく知る者こそ、その知るだけのスケールの恋をすることができるということだ。「言葉」を知っている範囲で、人が世界を知ることができるのと同じことでもある。また、もし恋の理由や根拠を並べたとしても、それ自体もやはりほとんどが一方的な幻想でしかないと思う。そして、幻想だからこそ恋はいつか終わることになる。

では、恋愛とは何か。その当事者の個人的な幻想である恋に加えて、その幻想を持つ対象との間に、そうした幻想だけでなく一定の共通理解が生まれたときの状態のことだと、ここでは考えたい。相手を理解できる、あるいは理解するといった領域が生まれるのである。言い換えると、相互の幻想だけでなく、相互の理解が生まれたとき、恋愛という至福の時を迎えることになるのだ。もちろん、相互に理解し、そして理解されているのだという状態、これもまたひとつの幻想に支えられることになるので、いずれにせよ幻想と理解とは切り離すことはできない。いや、すべて幻想だといってもいいくらいだ。

恋と恋愛に対して、愛は、共同性における相互承認という幻想で満たされた状態のことである。ただ、恋や恋愛と同じように幻想がそれを生むとしても、恋や恋愛の場合と違うのは、宗教や思想などによる共同性での相互承認を、その根拠にすることではないだろうか。簡単にいうと、恋・恋愛・愛それぞれの幻想の審級には違いがあるという程度の話である。ただ、愛が共同性における相互承認で可能な何かしらの根拠を持つことということでは、恋や恋愛とはかなり異なる審級だということになる。まとめると、恋が根拠のない幻想性で満ちているものだとするならば、恋愛は相互性を持つという幻想性で満ちているものであり、この2つにはいずれも物語の種に尽きないということだ。

恋・恋愛・愛についての私的なモノローグがやや冗長だったが、私としては、恋の物語を表象した映像テクストに関する考察をこれから述べようとしているだけで、ここまでは、ほんのその助走のようなものである。ただ、ここで扱う映像テクストの分析に先立ち、どのような恋概念での物語分析なのかということを説明するために、このように冗長な説明が続いてしまった。

さて、登場する映像テクストはオムニバス映画『about love／関於愛』(注1)のなかの「上海」という作品である。東京・台北・上海を舞台にした、監督もキャストも異なる三つの物語によるこのオムニバス映画は、異なる言語と文化を持つ人たちの出会いとささやかな交流(注2)を描いていた。ここでは、その中の一つである、チャン・イーバイ監督の上海編を取り上げようと思う。この映画が撮影された頃の上海は、まさに大きく都市の姿を変貌させていった時代だった。そして私自身、その頃に幾度となく訪れていて、いまでも愛着のある街である。ただ、ここに描かれるような「出逢い」に遭遇できなかったのはとても残念だった。いや、この物語を予めなぞるように言うならば、私もまた知る由もなかった、ということになる。こうした含みを持たせてもらうことを許してもらい、次の章に移りたい。

Ⅱ　異界に身を置くことは誰にも必要なことなのだ

上海に語学長期留学にやって来た日本人修平は、母娘が営む雑貨店の二階に下宿生活をはじめた。そして、その雑貨屋の娘ユンは、やがて修平に魅かれていくことになる。ユンは異邦人に対するどこか神秘的な魅力を彼に感じたのかもしれない。しかし、修平には雪子という日本人の恋人がいた。そしてこの留学生活が始まってすぐに、その恋人からの別れの手紙と修平にとって大切な思い出のボールが、上海の修平の元に届く。ボールは、この修平と雪子の物語のさらにもうひとつ先に先行する物語だった。修平がかつて野球の試合で活躍した時のボールなのだろう。しかし雪子は、修平のこれからの夢に付き合うことも、修平とのこれまでの記憶を共有することも、拒否したのだ。そしてユンは、この手紙によって落ち込んだ修平をすごく心配する。

すぐにユンはその雪子からの別れの手紙を手に入れた。その手紙は絵葉書で、修平の二階の部屋からちいさく破り捨てられたものだった。日本語を学ぶ、ボールの投げ方を学ぶ、そして自転車の色をまねる、後にも触れるが髪形を雪子と同じようにする、といった繰り返されるユンの恋心が表明される。それらに重ねられながら、物語は、この日本語で書かれた絵葉書の紙片をつなぎ合せて、ユンがそれに書かれてあった「言葉」と内容を理解していくことで進行していく。

あえて外国を異界とするならば、そこに行くことだけでも異界訪問譚という古くからの物語構造を持っていることになる。そこでの出会いと別れという物語は、私たちの文化の古層から連続しているひとつの物語構図でもある。先取りした言い方をするならば、修平とユンの出逢いは、異界からの離脱がそのまま別れを意味するのだと、はじめから想定できる観客にとっては、異界訪問譚としてこの物語が縁どられることになる。

修平からユンが学ぶこと、つまりはユンが習うことは、絵葉書の日本語であり、それが別れの「言葉」という否定的な表現であっても、やはり恋愛の言説である。しかし、彼らはまだ恋愛をしているわけではない。恋するユンにとっては、修平から学ぶことがそのまま恋愛感情を向けるレッスンとなる。価値があるものを手に入れるというのは、いわばむき出しの恋愛感情でもあるからだ。それでも、学び教えてもらうことが恋愛感情と重なるということに疑念を感じるひとは、森鷗外の『舞姫』でエリスが太田豊太郎からドイツ語を学ぶ場面(注3)を思い出してほしい。あるいは、教師に恋心を動かされたひとはいないだろうか。ここでは、絵葉書に表現されている恋愛のディスクールにユンの感情が重ねられていきながら、それが反転されてユンの恋愛感情となること、そこに「言葉」の力が働くことを指摘しておきたい。

また、先にも触れたように修平に対するユンの恋心は、恋人雪子が巻き毛だと聞いて、自分のヘアースタイルも巻き毛にすること(注4)でも示されていた。そしてその巻き毛は母親から叱られることとなる。その幼さと一途さは、ユンの子供っぽい感情として観客に受け取られるのに効果的である。なぜならば、この修平の異界訪問譚は、たとえ彼の夢への第一歩が雪子からの別れを告げられたアクシデントに見舞われたにしても、留学という語学スキル獲得のステージであることの意味づけは変わらない。帰国という出口までは明確に異界でのそうした意味が縁取られていたのである。またそのために、異界での語学学習による修平のキャリア形成という、理解されやすい成長の物語でもあった。

Ⅲ　実は誰でもいろいろな要素を持っている

映画『about love』の『上海』が映像テクストとしての物語喚起力(注5)を持つのは、ユンが修平の自転車の色をまねて赤くすることや、髪形を巻き毛にして帰宅する場面、さらにはその巻き毛を母親がストレートに戻すときに修平を見つめるユンの表情である。そこには、セリフとしての「言葉」はどこにも重ねられていない。ただ映像だけが、観客の解読を迫るのだ。修平に向けるユンの感情を演技と画像とで表現していたのである。

もちろん、映像表現の流れが生むリズムに対しては、ときどきそこに乱調を示すことで物語喚起力を強くする刺激を与えることになる。具体的に指摘すると、自転車の赤い色も、ユンの巻き毛も、私たちの視覚的な常識あるいは日常を裏切る視覚的記号なのである。その裏切りは、それまでの凡庸な物語展開のリズムに乱れを与えるものだ。またこれらの場面だけでなく、雪子が修平の元に送った小包をユンが無断で開けようとしている動作は、あえて書いてしまえばユンの修平に対する高い関心を示すものだろうが、観客の常識も揺らがされてしまう。その揺らぎが、ユンの感情の揺らぎと重なり、恋の物語が喚起されることになった。これが物語構造の力学とともに、乱調が喚起させる物語の力学なのである。

さらに、ユンがグラスで修平に届いた雪子からの絵葉書を覗く場面がある。これも、ユンの修平への関心の高さが幼く表現されているのだが、観客にとってのその行為は、観る＝覗く行為自体が持つうしろめたさも同時に照らし出されてしまうことになる。映画を観ることは、実は覗くことでもあるのだ。観客はそうした自身の覗くうしろめたさにやや戸惑いを感じることになるかもしれない。この映像テクストは、ユンの行為を通した二重の覗きを示すことで、ユンの一連の行為と結びつきながら、映像テクストの物語と観客のうしろめたさとが生む、ユンの心情解読への過剰な力学も生んでしまうかもしれない。

また、修平が下宿しているユンの家の屋上は洗濯物干し場である。あるとき、二人がその物干し場で出会う。そして、風で飛ばされたシャツが、ユンの顔を覆うことになった。薄い綿か何かのシャツの布で覆われたユンは、下宿の少女や受験生といった日常の属性を覆われて、少女としての身体性をさらすことになった。それこそ、修平に向けた想いが、偶然のように映像で表出された瞬間かもしれない。あるいは、シャツ越しの表情で示された隠されたセクシャリティと解読することも可能だろう。ひとは誰もがそうであるように、ユンにもいろいろな有り様がある。これも映像表現が「言葉」を使わずに表現した、可能態(注6)としてのユンの姿なのである。映像表現の可能態は、言語表現の可能態に比べると、かなり饒舌なのである。

Ⅳ　あらためて文字そして「言葉」の力を知ることもある

表現の文化史では、映像表現に言語表現が加わることで、つまりサイレント映画からトーキー映画の時代(注7)に移り変わることで、それまでのフィルム映画が、全く別の表現メディアに生まれ変わることになった。トーキー映画は、サイレントのそれとは異なった表現ジャンルとして出発することになったのだ。その後、テレビが登場し、フィルムによる光学的再現と電気信号による電子的再現とは別物として認知されていく。しかし、記録・編集・再現の領域でほぼ互角の再現力になった時点で、そうした区別は意味をなさなくなった。振り返るとトーキー映画以降は、映像と言語が相互性の力学のなかで、どのような視覚と言語による物語表現を生むのかが問われるようになっただけの話である。

修平が受け取った手紙＝言語表現が映像の物語に介入するとき、この物語は、自らの主題性を強く主張することになった。ユンが手に入れた雪子の修平に書いた別れの絵葉書は、それがバラバラな紙片に千切られていたが、彼女はそれを丁寧に修復させる。こうした行為だけならば、ユンの不可解な行動となるが、すでに修平への関心の高さは映像表現で繰り返されていた。

繰り返しになるが、ユンは、紙片を集めて、レンジで乾かし、一枚の絵葉書を修復する。そして、そこに書かれた修平に宛てた文面を解読しようとする。ユンは日本語を勉強していたわけではないのだが、日本語文に中国語訳を書き加えていく。日本語の文章は漢字混ざり文なので、ユンの読解はアルファベットによる文章よりも手がかりはあったに違いない。(注8)少しずつ文面の日本語の語や句が中国語に訳されていく。修平に聞いたりした、またはひとり辞書を引きながらの翻訳文だ。それはゆっくりとした中国語訳の作業でもある。最初は、絵葉書が二階から降ってくる場面で始まり、ジグソーパズルでもあるかのように情報の紙片が再構築されて、さらに解き明かされた謎のように全文が翻訳されていく。

こうしたユンの翻訳作業のなかで、観客はユンと同じようにゆっくりと修平が受け取った雪子からの手紙の内容を知ることになる。しかし、物語はそれを示して十分だとするわけではない。ユンは、文面を中国語に訳し終わったときに、修平の悲しみを理解することになる。もちろんそのことは、日本語の断片や、ユンが修平に教えてもらう日本語の語句から、すでに観客はおおよそのことは手に入れていた。しかし、もう一度それを、ユンの感情と重なるように修平の悲しみが観客にも差し向けられるのだ。修平の悲しみが再び繰り返されるのは、ユンが中国語で雪子の文面を読むからである。そして、そのユンの声を背景に、雨の中で自転車を走らせる彼女の姿は、あたかも彼女の悲しみを全身で現しているかのような、せつない場面となる。

なぜ彼女が雨の中で自転車を走らせたのかは、すぐにはわからない。しかし物干し場に向かうことで、私たち観客はその行動を理解することになる。突然に降りだした雨は、修平の悲しみ、それを理解した彼女の悲しみ、さらにそこに重なる修平との別れの悲しみを象徴するかのように、自転車に乗るユンを濡らす。しかし、すぐに観客は悲しむユンが向かったのは、修平のシャツを取り込むためだということも知る。幾重もの悲しみとそれを忘れたいかのように、雨に濡れる修平の洗濯物という現実をユンは心配するのだ。

再び、物語は視覚の記号性に寄り添った展開を示す。物干し場で、ユンは雨にぬれ始めた修平のシャツを抱きかかえている。それはまた、ユンの恋の帰結でもあったのだ。そして、修平の悲しみを知ったユンは、彼の幻影のようなシャツを抱きしめることしかできないのであった。

繰り返される「言葉」

↓

別れの絵ハガキの内容

絵ハガキの修復によって強調される単語

絵ハガキの文面の日本語訳

絵ハガキの文面の中国語

絵ハガキの文面の中国語の字幕

結末

Ⅴ　大切なことに気がつかないのが人生なのだろう

修平とユンの別れの場面は、下宿に呼んだタクシーに乗り込む彼と、それを送るユンとの幾つかの外国語による「さよなら」のやりとりだった。日本語、英語、中国語と「さよなら」の「言葉」が応酬される、和やかで寂しげな場面である。去っていくものにとっては、次に待ち受けていることに対する期待と不安があるが、残されるものにとっては不在の痕跡だけが目に付く日常がただ続くばかりだ。ユンは、スペイン語の「さようなら」だということで、「テ・キエロ」という「言葉」を修平に向けた。そして、修平もその新しい「言葉」が気に入ったのか、「テ・キエロ」という「言葉」をユンに幾度も向けてタクシーで路地から去っていった。しかし、そこに取り残されたユンの寂しそうな表情を修平は知らない。

『上海/Shanghai 気づかない想い』は、この上海の路地での慌ただしげな彼らの別れの場面で終わらずに、さらにちいさなエピローグを付け加えていた。しばらくの後に、再び修平は上海を訪れたのである。2000年代前半の上海は急速に街並みが変貌していった。（注9）

街をタクシーで走る修平の驚きの「言葉」とは、そのにぎやかになった風景にまずは向けられたものである。そして場面は、前回の語学留学のときに親しくなったジョが経営するスペイン風居酒屋レストランでの、彼との再会を懐かしむ場面に接続する。

学生はいいよねといった、ありきたりの社会人「言葉」で回顧的な気分になっている修平とジョの前を、スペイン人留学生たちが通り過ぎる。修平は、ユンに教えてもらったスペイン語の「テ・キエロ」を口にした。帰国するという留学生たちに「さようなら」と言ったつもりの修平だったが、皆から笑われてしまう。何故なら、「テ・キエロ」とは愛しているという意味だったからだ。ジョからそれを教えられた修平は、このときはじめてユンの気持ちを知ることになった。

場面は、下宿していた雑貨屋の辺り、以前にユンにボールの投げ方を教えた場所に立つ修平に移る。ボールの壁打ちに使っていたレンガだけが残り、あとは取り崩されていた。土地は国家のものなので、都市開発は日本では考えられないくらい速い。瓦礫のなかで、彼はユンとの別れの場面を思い出していた。実は彼女は、幾度も修平に向かって愛していると繰り返していたのだ。

「言葉」の既知の意味が、別のコンテクストのなかでは変化することがある。日常でも、また小説でも、コンテクストの変化で揺れる「言葉」の意味は、ひとの、あるいは読者のこころを躍らせてくれる。たとえば、恋人同士の甘いささやきは、当人以外では凡庸な「言葉」でしかない場合が多いようだ。こうした解釈のコードの力学というものを、ここでは、ユンの嘘が時限爆弾のように機能していることで示していた。もちろん、いつかはユンのこの嘘が修平のこころを揺らすのかもしれないなどと、企んだわけではないと思う。修平の帰国とともに消えていく彼女の恋の出口を、そんな嘘に求めたに過ぎないのだろう。

映像のテクストは、半年前の修平とユンの別れの場面をほんの少しだけ、しかし余分に語りだす。去っていったタクシーに取り残されたユンは、ひとりまだ修平に向かって「テ・キエロ」と幾度も「言葉」を繰り返していたのだ。このことは、もちろん修平は知らない。しかし、すでに「テ・キエロ」の解釈コードを手に入れた観客は、いわば特権的（注10）にユンの悲しみを知ることになる。そして、観客がその悲しみに同調したとき、ユンを演じるリー・シャオルーの演技力は、恋が恋として終わるその切なさを十二分に表現していることになったのだ。

＊

言葉遊びのような補足

修平と別れた恋人は雪子という名前だった。別れには、融けていく雪のイメージが重なりはしないだろうか。また、ユンは、雲。どこかの空の下に流れていったということだろうか。また、文字テロップなので日本人だけだが、「テ・キエロ」は、「消えろ」という、いずれも日本語の視覚情報に重なるものでしかないのだが。

注1　2005年公開　日本・中国合作　ムービーアイエンタテイメント配給『上海／Shanghai 気づかない想い』の監督はチャン・イーバイ、脚本はシェン・ウエイ。

注2　告知ポスターのコピーは「東京・台北・上海　アジアを舞台に紡がれる〝3つの出逢い〟〝一途な想い〟」である。ここでは、そのひとつ「上海」の「一途な想い」をテクストとた。

注3　森鷗外『舞姫』（1890年）の登場人物エリスは、異邦人である太田豊太郎の恋人という設定である。

注4　ユンの修平への関心はそのまま恋心として表現されている。特に雪子の髪形を修平から聞いて、同じ巻き毛にするという行為は、その髪形が修平の好みなのだという勝手な思い込みによるものなので、恋するということの幻想性が現れている。

注5　ここでの物語喚起力とは、すでに文化が持っているさまざまな物語を映像記号の受容者に想起させる力学のこと。

注6　可能態で考えると、言語表現では、たとえばひとつの言葉「家」は、さまざまな「家」の

種類から「家」的なモノや関係性まで、その「家」のイメージする可能態の広がりが示されることになる。それに対して、映像表現では、たとえばひとつの映像「家」は、その示された「家」でしかなく、個別限定的である。古典的な映像論では、モンタージュによる抽象表現とその抽象的な意味の可能性が取り上げられてきた。しかし、場面のなかで、登場するシャツ＝モノによって被われて抽象化されたユンは、さまざまに言葉で表現できるモノとしての広がりを示していると言えるだろう。

注7　映画の誕生がリュミエール兄弟のパリでの一般公開として、この1895年を映画史の始まりとするならば、それはサイレント映画の誕生だった。そしてトーキー映画の誕生は1927年の『ジャズシンガー』である。物語テクストとして考えるならば、サイレント映画は、「映像テクスト」の一種の誕生であるのに対して、トーキー映画は、「映像と言語のテクスト」の誕生ということになる。それは言語を含む新しい映像テクストの登場ということなのだ。

注8　漢字文化圏である日本と中国とでは、漢字が会意文字であるために、筆談が可能となる。それに対して、アルファベットは表音文字であるために、たとえば異言語文化コミュニケーションにおいては、音声の強弱や繰り返し、そして身振りなどが強調されることになる。

注9　中国の経済成長率について、2000年代初頭には実質GDPが若干低迷したが、03年から06年までは10％を超えていた。

注10　ここでいう、観客の特権性とは、解釈コードの入手という意味だけではない。映像テクストが与える情報を統合する受容者である観客の位置という意味である。結末部で時間が再び修平とユンの別れの場面、それも修平が見ていない場面に戻るという、物語時間がこれまで強制されてきた通時性を大きく逸脱した場面を統合することが可能なのだということを強調したい。

参考文献

中国に関しては、日本経済研究センター編『中国ビジネス　これからの10年』（日本経済新聞社、２００５年）、卜部正夫・孫根志華・中国ビジネス研究会編『中国ビジネス事情』（学文社、２００８年）そのほかを参照。

第4章 「家族」

横溝正史『八つ墓村』

横溝正史『八つ墓村』 92

「家族」という身近なテーマも時代によって意味が変わる

誰もが最初は「家族」の一員として過ごし成長するのが、いわば一般的な生の歩みかたなのだろう。近代以前では、比較的大きな「家族」及び家族的な共同体が、私たちを守り育ててきたということができる。「家族」共同体の構成員誕生からの通時的な視点での「家族」共同体の機能を並べてみると、養育・保育の機能、教育・保護の機能、生産・経済の機能、扶養・介護の機能などが挙げられる。また、そうした機能をもっていたことは、近代以降の同時代でのちいさな「家族」の機能と比較してみても、誰もが想像できることだろう。ただ、近代社会の成立以降の「家族」共同体は、本来持っていた構成員たちの相互機能が、それぞれ社会的な諸制度として外部に再構築されて、そこに委託されることになる。それは、近代社会において合理性と生産性そして市場性が求められた結果でもある。教育、生産、保険などの機能は、「家族」及び家族的な共同体から徐々に外部に移されて、それぞれ学校や会社などの独立した組織体となった。その代価としての合理性などを手に入れながら、より効率のよいシステムを作り上げる。個別のシステムは共同体が持っていた代替機能を行なう組織体として大きく展開していく。それに対して、必要最小限度に合理化された核家族と呼ばれるちいさな共同体が、社会の基本的な構成要素となる。さらに今日では、「家族」としての構成要素の多様化もまた社会に広がりつつあるのかもしれない。

ここでは、第二次世界大戦後の日本の「家族」に目を向けることにしたい。戦後日本の民主化運動は、連合軍による占領政策と重なりながら、封建制を残存させた旧家族制度を批判の対象とした。つまり、西洋近代のまなざしから、天皇制を含めた家長制度の前近代性を糾弾したのである。権限が家父長に集中する家長制度は、江戸期の武家の継承制度をモデルとした「家」を単位とする「家族」の形態である。明治民法の改正だけではなく、戦時下戦後のベビーブームの子供たちの成長と結婚、そして農村部の衰退と都市部への人口移動という、こうした1960年代前後の社会環境の大きな変化は、旧家族制度を意識の上でも大きく変えることになった。敗戦後の法制度改革としてだけでなく、社会環境の変化からも、新しい「家族」の実質的な形態が登場することになったのだ。

明治期から戦時下までの明治民法による「家」制度は、天皇制ファシズムによる日常的な支配が機能する装置として、新しく登場した近代的な個人意識に重く圧し掛かっていたことは想像できる。お国のためが、お家のために同心円状に重なることになるからだ。

1970年くらいまでの、戦中派知識人や文化人そして読書家たちの島崎藤村文学への共感はそうした背景があったと思う。藤村文学では、「家」というものの重圧を主題に幾つかの作品が書かれていたのである。文芸批評や文学研究だけではなく、歴史学や政治学でも戦前の家族制度への分析言及は70年代までは数多く重ねられてきた。今から振り返ると、同時期の文化人類学や心理学からの日本文化分析も、どこか戦後の「家」研究の新しい意匠のように思えてならない。その後、重圧としての「家」が、マイホームという建築物としての家への幻想に移り、やがて人口減による「家」の永続幻想すらも持てなくなった。今となってはノスタルジックな、「家族」という旧来の共同体が持つ意味と機能を、ここでは小説に重ねてみたいと思う。

Ⅰ　第二次大戦での敗戦体験を語る人達がいなくなった

横溝正史による探偵小説で、金田一耕助が登場するシリーズのひとつである小説『八つ墓村』は、雑誌「新青年」(注1)で1949（昭和24）年3月から翌年の3月まで連載されたが、同誌休刊のため、推理小説誌「宝石」(注2)で1950（昭和25）年11月から翌年の1月まで、『八つ墓村　続編』として、さらに連載されることで完成した。

この作品の発表時期は敗戦直後で、それと重なるように物語の時代設定もほぼ戦後の同時代となっている。そのため、敗戦後の混乱と社会の再生復興の気運とを作品の背景として含み持つことになった。また、戦時下に横溝正史自身が疎開していた岡山を舞台とすることで、連続殺人事件の背景にそこで知りえたローカル文化の知識（注3）を基にした「前近代的な因習」を作品に置くことができた。そして、殺人事件としてだけでなく一種の地方の怪奇な因習譚としても仕上げられることになったのである。

もちろん、敗戦後に横溝正史が知った津山事件（注4）という実際の出来事が物語の基本的な構図となっているのだが、さらにそこに登場人物の「手記」という表現形式の設定がリアリティを補強することとなった。ただ、そのことは確かに物語のリアリティを強くはしたが、逆に金田一が主人公として活躍する探偵小説としてではなく、この事件の当事者である寺田辰也の「手記」を本編とした自身のいわば人生成功譚としての相貌を取ることとなった。その意味では、横溝正史による「金田一耕助シリーズ」（注5）という括りのなかでは、登場する「探偵小説家」による作品化という物語ではなく、「登場人物」の手記というスタイルのものであり、『三つ首塔』（注6）と同じ物語の構図を持つ作品ということになる。

Ⅱ　登場人物「作者」と登場人物の「手記」が織りなす二重の「語り」

物語の冒頭は「発端」という章であり、ここでは登場する「作者」が、作品の舞台となる八つ墓村の現在を語り、さらにその村で語りつがれた「八人の落武者が惨殺され」た後の「怨念」というもの、そしてそれを鎮めるための「八つ墓明神の由来記」とを語る。さらに、「近年になってこの山奥の一寒村の名が全国の新聞に喧伝されるような、一大不祥事件が起こった」ということを紹介した。この「一大不祥事件」が、実際の「津山事件」をモデルにした出来事で、小説内での「大正×年、すなわちいまから二十数年まえのこと」として語られる「事件」なのである。

この「いまから二十数年まえのこと」が、この物語での主な登場人物たち相互を結びつける因果のきっかけであり、また村内の貧富の差による登場人物たちの間にあるもうひとつの力学を読者の前に顕在化させてしまう説明にもなっていた。

そして、「こうして二十六年の歳月が流れて、昭和二十×年。二度あることは三度あるという故老の言いつたえのとおり、八つ墓村には、またしても、怪奇な殺人事件があいついで起こったのである」という「まえおき」を、この登場する「作者」は語るのであった。

そして、「一大不祥事件」が今回の「怪奇な殺人事件」へと結びつく「物語の幕をあける」第一章以下が、次のような説明で始まる。

さて、まえおきがいやに長ったらしくなったが、それではいよいよ物語の幕をあけることにしよう。なお、そのまえに断っておくが、以下諸君の読まれるところのものは、この物語のなかで重要な役割を演じた、関係者の一人が書いたものなのである。私がどうしてこの手記を手に入れたか、それはとくにこの物語の筋に関係がないからここには書かないでおく。(『八つ墓村』 発端)

これまでの内容を「作者」である「私」の「まえおき」としながらも、ここで「怪奇な殺人事件」の場所と因果関係のある出来事と「事件」に関係する人物たちの説明が終わる。そして、次にこの「私」は「関係者の一人が書いた」「手記」にこの物語を委ねようとするのである。

こうした「作者」とは別の審級の登場人物の「手記」に移行する物語では、「作者」である「私」と読者は情報を共有することにはなるが、それでも「私」はあくまでも優位な地点に存在している。いわゆるリード文として機能するこの「発端」の章は、すべてをすでに知っているという優位な地点にある「作者」である「私」による読者への情報提供であり、その「発端」と「手記」とを統合することが、私たち読者に向けられた解読の力学なのである。

そのために、この「手記」とはそもそもが「関係者の一人が書いたもの」でしかないと、その不完全さが宣言されたテクストでもある。そして、その「手記」の不完全さの力学は、殺人事件の謎を解くという本来的な小説テクストの力学を持つとともに、その不完全さを補うために「私」からの情報との正しく接合することは何かという、どこにも書かれていない空白を補う力学が生まれる。「作者」である「私」は、この「手記」をいわば素人が書いたものとして、「読者」に差し向けているからである。こうした、「作者」である「私」が語っているという審級と「手記」に書かれてある審級との統合という、いわば二重の謎解きのような緊張感を読者に強いることで、読むことそして謎解きの楽しさに大きな振幅を加えるのであった。

この「発端」に続く「第一章　尋ね人」の冒頭で、「私」は「作者」である「私」から登場人物のひとりである寺田辰也の「私」に移行した。つまり、「第一章」から登場する

「私」とは、この「手記」を書いた人物寺田辰也なのである。その「手記」冒頭では、「八つ墓村」から「神戸西郊」に「私」が戻ってきて八か月が過ぎていること、従って八か月前の「恐ろしい」「三か月の経験」が出来事であり、しかしその後には「夢にも考えなかったような幸福な境遇に入ることができた」と、全体の構図がすでに書かれている。またそれとともに、このことが金田一耕助の「おかげである」という感謝が述べられていた。先の二重の謎解きは、こうした出来事の期間と結論とがあらかじめ縁どられた物語のなかで行なわれる読者の緊張感ということになるだろう。

Ⅲ　小説であることを否定する小説の戦略もある

パッケージ的には小説でありながら、小説でないと自ら言明するテクストとは、いったい何なのであろうか。小説というテクストに対しては、自らメタレベルにあるテクストだというそれである。この「手記」が小説であるか否かではなく、小説ではないと言明する「手記」テクストが読み手に求めているのは、単なるノンフィクション性を強調することで入手できるリアリティなのであろうか。

文章に自信のない点では、いまも変わりはないけれど、私は何も小説を書こうというのではない。自分のなめた体験を、ただありのままに書きとめておけばよいのだ。いわば事実の報告なのだ。事実譚なのだ。そしてひょっとすると、その事実の異常さ、恐ろしさが、文章の拙さを救ってくれるかもしれぬと思っている。(『八つ墓村』第一章　尋ね人)

すでに「手記」を書き始めている寺田辰也は、「事実の報告」「事実譚」というジャンル区分を繰り返しながら、自らのフィクション性を否定している。さらにそれが自身の「恐ろしい経験」であることを、繰り返しながらも、しかし、そのまま読み手に伝える方法としての「手記」がどのような戦略を持つのかについては無自覚である。

ただ、読者は、辰也の「手記」であるとすることでのある種のリアリティを手にするとともに、それが「恐ろしさ」という書き手にかかったバイアスの向こう側には、必ず事件の謎があることに気が付かないわけにはいかない。つまり、事件の全体構造としては、辰也の「恐ろしさ」の感情によって見え隠れしていることが、読者の謎解きの愉悦として差し向けられているというのが、このテクストの特色なのであった。

何よりもそのことを意識させられてしまうのは、冒頭に登場した「作者」という仕掛けではなかったか。すべてを知る全知の存在が最初に置かれていたからこそ、この不十分な「手記」から見え隠れしているものを、「作者」である「私」と競うように私たち読者は手に入れなければならなくなるのである。

寺田辰也が「八つ墓村」に向かったのは、「六月二十五日われわれが八つ墓村へ出発する日」（「第二章　疑惑の人」旅立ち）の三宮駅からであった。そして、山陽線そして伯備線の列車で「Nという駅」に着き、さらにバスで「八つ墓村」へと乗り継ぎを重ねながら向かうなかで、彼は「出生にからまる恐ろしい出来事」をはじめとして、自分を取り巻く人々とその事情とを少しずつ知ることになった。重ねて、田舎と医者との関係で、戦後の「村の様子が一変」したことを書く。このことは、「旧来の医者」と「疎開医者」の二項対立の構図化が、全国に広がっていたことを語りながら、（注7）その前後に繰り返されるさまざまな二項対立の構図を含んで、（注8）それらがこの事件を二項対立で解こうとさせるミスリードへの仕掛けとなっている。同時に「手記」という設定なので、たとえそれが誤読であったとしても、その後に言い訳を続けることもできるのだ。ただ、重要なのは、「手記」という執筆者の主観性が前提となっていることで、論拠ともなっている一般的な事象への説明もおおよそ「事実」としての説得力を持つことになる。なぜならば辰也の誤認については、読者はそれと判定できないからだ。そして読者は、そうした辰也の説明という実は主観的な「事実」を前提として、その向こう側に見える本当の事象に留意させられるのであった。

Ⅳ　ラジオと写真が真新しいメディアだった

さらに寺田辰也が書いた「手記」についてであるが、たとえそれが彼の「恐ろしい体験」であったとしても、「三か月の経験」とされるこの「手記」自体に書かれてあることは、①事後の時点での回想なので、その事後のさまざまな人間関係の影響が生じている、②書き手である辰也の視点からなので、出来事に対する主観性（「恐ろしい体験」であるという認識）が強く、警察・探偵などの客観的な立場からの情報は不十分かあるいは後付けという表現になる、③逆に後付けあるいは後に引用された客観性が高い説明等は確かなものとして強く読み手に印象づけられる、④結果としての「幸福な境遇」という辰也の現在の認識が着地点なので、そこに向けての「語り」として読者は受けとめる。

語り手である辰也のこうした偏向がこの「手記」には在るからこそ、客観性をある程度担保できる指標もこの物語には使われることになった。それは、「手記」というスタイルが説得力を手にするために求めたひとつの方法でもあったと言い換えてもよい。そして、ここで使われたのは、同時代性という文化を読者が共有することで生まれる客観性だった。ここで具体的に使われたものは、当時においては新しいメディアである「ラジオ」と「写真」である。「ラジオ」の放送で出来事の発端が生まれ、「写真」という客観的証拠で辰也は、この「怪奇な殺人事件」、さらには自身の生そのものからの呪縛を解放させたのである。それぞれこの時代における新しいメディアが、いわば客観的な根拠を示すものとして使われていたのである。

日本でテレビ放送が始まる前の「ラジオ」は、戦後の社会での公共性を担うメディアの一つとして重視されたものであった。この「手記」というスタイルは、こうした新しいメディアの公共性と複製性によってその客観性が担保されていたのである。結果として、小説『八つ墓村』の特質である戦後的物語空間は、こうしたメディアを取り込んで表現されることになったのである。

寺田辰也は、そうした公共メディアや複製メディアのなかで見出された主人公であり、それらを発端として、先に紹介したように西宮駅から「八つ墓村」に向かうことになった。

そのきっかけというのはこうである。

あれは忘れもしない去年、すなわち昭和二十×年五月二十五日のことであった。九時ごろ会社へ出勤すると、しばらくして課長に呼ばれた。課長は私の顔をジロジロ見ながら、

「寺田君、君は今朝のラジオをきかなかったかね」

と、尋ねた。

私がいいえと答えると、課長は重ねて、

「きみの名はたしか辰也といったね、そしてきみのお父さんの名は虎造といいやしなかったかい」

と、尋ねた。(『八つ墓村』第一章　尋ね人)

先に指摘したように、出来事の発端が「ラジオ」という公共性を持つ最新のメディアであったとすれば、辰也を血縁の呪縛から解放させたのは、「写真」という客観性を持つ複製メディアであった。もちろん、「ラジオ」という電気的音声メディアが、「写真」という

光学的映像メディアと結びついて、トーキー映画という新しい物語世界が生まれ始めた頃でもあった。電波という公共性とフィルムという光学記録及び再現という客観性を持つそれぞれのメディアの特性をうまく物語に組み込むことは、辰也が巻き込まれる出来事の始まりと結末部である「大団円」が、１９４５（昭和20）年以降の戦後日本のメディア文化の興隆展開とも重なるものだった。

物語の発端に最新のメディアがこのように組み込まれたこの物語ではあるが、それとは対照的に、辰也が向かうことになった「八つ墓村」では、旧来のメディアである文字や口承、そして伝説が交錯する前時代的時空として表象されていたのである。

V　近代的人間の心的構造が物語構造とも重なっていた

確かに旧来のメディアが交錯する「八つ墓村」地理空間ではあるが、辰也に知らされる田治見家や野村家の社会文化的な位置づけなども含めて、それらは近代的な人間の心的構造とも重ねることができないだろうか。

たとえば、「八つ墓村」の人々の人間関係とその力学が生む社会関係が「自我」ならば、固定化された「家」とそこからの権力関係は、すべてを縛る「超自我」である。この場合の「自我」に重ねられる社会関係とは、小さくは、「二人の主権者、小梅様と小竹様」のダイアローグであり、大きくは、さまざまな登場人物によるポリフォニーである。

それに対して、「超自我」は、田治見家とそこに結びつく経済力を含んだ「家」という権力の総体である。また、それを支えるように、菩提寺「連光寺」や親交のある「麻呂尾寺」が、宗派という一定の教義の元に存在していた。もちろん、この二つの寺の二項対立もまた、村の医者のそれと併記されていて、物語世界を構図化する指標でもあった。

そして、「八つ墓村」の地下に広がる「洞窟の地理」空間の意味が変容することによって、新たな物語構造全体が現前していくことになる。その地下空間が、あたかも心的構造としての「無意識」領域に相当するように存在していたのである。「超自我」「自我」に対して、この「無意識」という領域は、「超自我」「自我」に結びつくものとして仮設されたものであり、さらに「意識」との緊張関係でそれが対象化される概念領域であると私は考えている。

どこかに埋もれた価値あるものが存在するという期待のイメージが、たとえそれが一般的なものでもあるにせよ、この『八つ墓村』での埋蔵金や次世代に継承される価値あるものが準備されているこの地下の「洞窟」は、やはり「無意識」という概念領域と容易に重

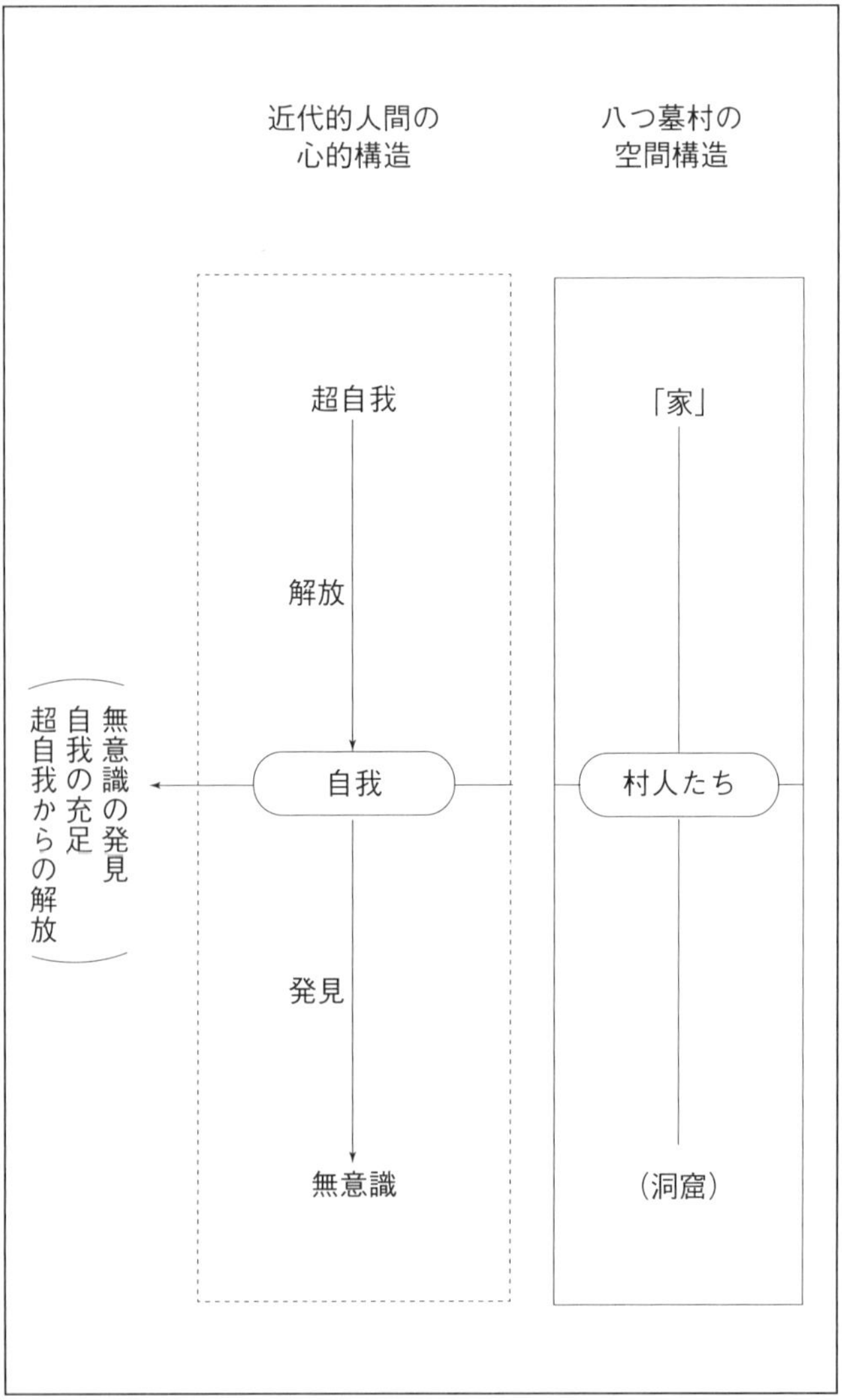
近代的人間の
心的構造
八つ墓村の
空間構造
超自我
解放
自我
発見
無意識
「家」
村人たち
（洞窟）
無意識の発見
自我の充足
超自我からの解放

ねらて、物語を解読することになるだろう。なぜならば、そこでは「夢にも考えなかったような幸福な境遇に入る」準備がなされていた場所であり、具体的にも現実の村の下に隠された場所だったからである。

つまり、意識（超自我・自我・無意識）という三層の構造がこの村にも配置されていて、地下の「洞窟」という無意識には準備されたものがあり、それが意識化あるいは発見されることで、超自我から解放された新しい自我へと変容していく。ここには、近代の「私」という物語（注9）に重なった物語構造が組み立てられていたのである。

Ⅵ　辰也の「家族」再生は敗戦日本の復興への願いなのだ

物語当初に「手記」で「私」が繰り返す「孤独」は、やがて予定調和的な「大団円」のなかで、里村慎太郎による正統な王位継承と辰也の「家族」再生の物語へと組み替えられていく。この壮大な一族再生のドラマこそが、この『八つ墓村』の基本的な物語構造として魅力を生んでいるものではないかと、私は考えている。それは、敗戦後の日本の混乱のなかで、きわめて戦後的な物語でもあったのだ。制度的にも、実際の有り様としても、旧来の「家」及び家族制度が揺れ動いた時代だからである。（注10）

さて、辰也の「手記」によると、神戸に迎えにきた「美しいひと」（第一章　尋ね人）美也子への女としての魅力に惑わされながら、典子に対しては「醜い女」（第二章　疑惑の人）という評価や「成熟しそこなったという感じ」（第二章　疑惑の人）と受けとめていたのが、辰也自身の最初の認識であった。しかし典子は、「生まれたての赤ん坊のように、天真爛漫」（第四章　四番目の犠牲者）で、辰也に積極的に近づいていくのである。

「……（略）……バッタリお兄さまに出会って……あたし、びっくりしたわ。心臓がドキドキしたわ。でも、とてもうれしくなって……ねえ、お兄さま。きっと神様が、あわれな典子のお願いをきいてくだすったのね」

典子の話をきいて私はかなり大きなショックを感じた。全身にビッショリ汗をかき、体じゅうが熱くなったり寒くなったりした。

ああ、これが愛情の告白でなくてなんであろうか。それでは典子は私を愛していたのか。

なにしろあまりにだしぬけだったので、私はすっかり面食らったかたちで、返す言葉もなく、ただまじまじと、典子の顔を見直していた。典子はしかし、別にはじらいの色もなく、まるで、グリムかアンデルセンのお伽噺に出てくる少女のように無邪気であった。少しもいやらしい感じではなく、むしろ反対に、素朴で可憐であった。

（『八つ墓村』第四章　四番目の犠牲者）

続けて、辰也は「典子に対する愛情など微塵もない」（第四章　四番目の犠牲者）こと、「まだ典子という女性を、ほとんど知っていない」（第四章　四番目の犠牲者）と重ねながらも、その「無邪気な」様子に、辰也の「神経が、不思議になごんでいくのをおぼえた」（第四章　四番目の犠牲者）と己の感情を展開させている。そして、「私の典子のよびかたは、いつか典ちゃんにかわっていた」（第四章　四番目の犠牲者）のである。

もちろん、こうした典子の魅力の発見だけが、ここに準備されていたドラマではなかった。典子の魅力の発見はさらに続くが、それは「家族」構築に向かう愛情物語でしかない。むしろ、美也子と典子との間で揺れる辰也の恋心のドラマの存在と、それを通過した後に、もうひとつ、血が繋がっていないことを知る義理の姉春代と典子との間で揺れる辰也の、やはり恋心のドラマがあったことが、『八つ墓村』の連続殺人事件でのそれと連鎖しながら、徐々に姿を現す「家族」再生のドラマに深い陰影を与える。

春代が死に際に告白した辰也へ寄せる切ない思いは、もちろん顕在して中心化するようなドラマではない。もはや典子の魅力を発見してしまった辰也には、春代の切なさだけが前景するのであった。つまり、美也子との三角関係のドラマは辰也にとってはどちらかといえば性的な要因からの「恋」（第七章　木霊の辻の恐怖）であったろうし、可能性としての春代との三角関係のドラマは辰也にとってはこれもまた近親愛的な「魅力」なのであったのだろう。

それらを越えて、典子の「悲観という文字を知らぬもののように元気で楽天的」（第六章　春代の激情）な彼女を発見し、「慎重」（第八章　絶体絶命）で「気魄にみちた典子」（第八章　絶体絶命）とも出会う。そして金田一耕助がそう指摘した「女妖」（第八章　絶体絶命）美也子は、辰也を愛し守ろうとする春代といわば闘い、そして命を落とすことになった。この美代子と春代の二つのドラマは、確かに辰也をめぐる恋のドラマでありながらも、同時に辰也を守ることになる「家族」再生のドラマを縁どる、いわば下位のドラマでもあったのだ。

Ⅶ　メディア史と重ねて読むこともできる

王位継承と「家族」再生という、連続殺人の傍らで生じたこれらの大きな劇は、結果として探偵金田一耕助や磯川警部が活躍する場面を大きく減らしてしまった。そればかりか、「手記」であるというリアリティの強調は、「久野のおじさん」の「探偵小説」が「好き」だという話題から、辰也の「私の探偵小説に対する知識も、姉同様、それほど深いものではない」（第四章　四番目の犠牲者）という発言や、同じく彼の「ずっと以前に、鍾乳洞を舞台にした、探偵小説を読んだことがある」（第六章　春代の激情）辰也が、「しかし、事実と小説のあいだには、大きなひらきがあることを、いま、私たちが探検している、この洞窟が如実に示している」（第六章　春代の激情）などというメタフィクショナルな表現を繰り返し書き込むことになった。

こうした「探偵小説」ではないとする当初からのリアリティの強調は（注11）、この村の近代的発展にまで言及するほど、現実の戦後的社会気運とリアルに接合していた物語だったからなのかもしれない。逆の言いかたをするならば、小説ではないという表現を使うことで、ここに使われた戦後的な社会状況やメディアが生むよりリアルで「怪奇な殺人事件」として読者にさし向けることができたのだろう。先に触れたトーキー映画の登場という背景だけでなく、それはメディア史的にも新しい表現手法と結びつくものだったのかもしれない。また、ムラ社会での世代の推移と連鎖に、因縁と遺伝とを組み込むことは、当時としてはそれもまたリアルなイメージでの擬人的な社会進化の説明になっていたのではないだろうか。さらに、都市と地方、現在と過去などの時空間の構図も含めて、さまざまに配置された二項対立のなかに、「血」をめぐる「遺伝」の問題もまた物語全体に設定されていた。そして、ここも、その構図の底流には、ネガティブな「遺伝」とポジティブな「遺伝」とが生まれ、後者の勝利という説明になっているのである。もちろんこのことは、当時のリアルさあるいは認識のありようでしかない。

「二、三蛇足を付け加えておく」として用意された最終章の「大団円」では、慎太郎の後日談が書かれてあった。

慎太郎はいま八つ墓村に、石炭工場を建てるのだといって夢中になって奔走している。そのへんいったい、石炭の原料となる石灰岩が、無限に埋蔵されているので、事業は非常に有望だと、専門家も太鼓判をおしているそうだ。それについて慎太郎は私にこういった。

「この村に新しい事業が起こり、近代的技術を身につけた人間が、おおぜいいりこんでくるようになったら、村の人たちのものの考えかたも、いくらか変わってくるだろう。それ以外に、このいまいましい村の、迷信ぶかい人たちの考えかたを矯正する方法は見当たらない。そういう意味でも、私はこの事業を成功させなければならないのだ」（『八つ墓村』大団円）

ここで「ものの考え方」としてイメージされている旧来の共同体としての村が、発見された地下資源によってこれから近代化されていくのだという説明がなされていた。先の近代的な人間の心的構造とこの近代的な社会の産業構図(注12)とが結びつき、極めて図式的な社会進化という結末をここでは見せていた。

繰り返すと、フィクションであることを否定する新しいフィクションという、メタ的な言説をもつテクストだったので、八つ墓村の生活に対する新世代である主人公たちの新たな都市生活だけでなく、当時の社会的な話題でもある、因習にとらわれる旧社会に対する再建あるいは近代化された社会というリアルな話題にまで筆が及ぶことになったのだ。物語は、新しいフィクションだけでなく、新たな都市生活、近代化された社会などに向かったのだ。

連続殺人の「怪奇」と予定調和的な「大団円」のなかで、辰也の「家族」再生の物語が、里村慎太郎による正統な王位継承と近代社会の構築という壮大なドラマを物語の背景として、姿を現す。つまりは、「私」の「孤独」が旧来の「家」、または家族共同体の再構築の物語に組み替えられていく。そして結末部での幸福感こそが、都市部労働人口集中の時代での、孤独な都市居住者のロマンスとなり得たのである。その意味では、いまだ「家族」を持たない金田一耕助は、どこかをさまよう孤独な都市居住者のままなのであった。

注1 雑誌「新青年」は1920年1月に、博文館により創刊された雑誌。1927年3月より横溝正史が2代目編集長となる。戦時下の発行不能期や戦後の発行所の変転を経て、1950年7月号で廃刊となる。

注2 推理小説誌「宝石」は1946年4月号から1964年5月「創刊250号記念特集号」の251号で終わった推理小説の専門誌。創刊は岩谷書店、1956年7月号から独立した

宝石社からの出版となるが、経営悪化のために廃刊。

注3　横溝正史の岡山像に関しては、谷口基「岡山と横溝正史の郷土愛『八つ墓村』批判をめぐる一考察」(『横溝正史研究3』戎光祥出版　2010年9月)での「強い愛情」の指摘や倉田容子「鏡像としての村落『八つ墓村』」(「昭和文学研究第63集」昭和文学会2011年9月)での「強烈なエキゾチシズム」の指摘がある。

注4　「津山事件」は1938年5月に現在の岡山県津山市で起きた、都井睦雄による大量殺人事件のことで、「津山三十人殺し」とも呼ばれる。敗戦後、この事件のことを横溝正史は知ることとなった。一般に『八つ墓村』の素材のひとつに使ったとされている。

注5　金田一耕助が登場したものをここではシリーズと呼んでいる。

注6　1949年から51年に発表された『八つ墓村』後、この『三つ首塔』で再び宮本音彌という登場人物の手記という物語構図による金田一が登場する小説が発表された。初出は「小説倶楽部」1955年1月号から12月号である。

注7　戦時下の医師不足のために行なわれた官立大学医学専門部での医師養成に加えて、医学専門学校の増設そして歯科医から医師への国家試験受験資格付与処置などが、戦後の大都市や地方で修学歴の違いを持つ医者たちの対立を生むことになった。そのことが当時の医者の間の軋轢の背景にあったようで、こうした対立はリアルさを与えている。

注8　もちろん、このテクストにおいて、都市部とこうした「八つ墓村」との二項対立も用意さ

れたものではあるが、先の倉田容子論で指摘されている「中央と地方の序列化」よりは、そうした「序列」そのものを相対的にとらえた二項対立としてここでは読むことにしたい。

注9　戦後期には、社会科学であれ文学であれ、日本近代社会における封建制の残存と大衆における近代的自我の未確立という言説が批判基準となっていた。

注10　具体的に取り上げるまでもなく、家族あるいは「家」を主題とする社会科学的な書物や文芸批評は、戦後から1970年前後まで数多く出版されている。そして、70年前後から、心理学や文化人類学へと同主題が転移しながら、80年代以降、制度的な変化と世代推移のなかで大テーマとしては衰退していくことになった。

注11　しかし、この作品が探偵小説というパッケージ性を持つ限り、この「探偵小説」への言及と、それに続く引用は、メタ的な言及となる。これは、読み手にこのテクストが「手記」であることを意識することを促し、この「手記」から「連続殺人事件」の「謎」を解かせようとしていること（パッケージ性）を表象している。

注12　地下イメージは、日常的には生活を支える井戸水、経済的に豊かになるという夢を伴う金鉱や埋蔵金、そして近代工業を促した石炭や石油などが、いわば隠されていた場所であるということから構築されてきた。『八つ墓村』では、生命の誕生までが付加されている。

第5章

「現在」

芥川龍之介『妙な話』

事実はあるのだろうけど真相は皆が勝手に思い描くものだ

芥川龍之介『藪の中』（1922）では、事件の関係者の言い分が食い違い、その矛盾から本当のことが分からない、どこかリアリティのある世界が描かれていた。ここから、真相は藪の中だという表現を使うことがある。この作品は、黒澤明監督映画『羅生門』（1950）で映画化されることになった。映画作品の題名は芥川龍之介の他の作品『羅生門』（1915）からのものだが、映画化されたのは『藪の中』のほうだった。また、この映画作品は、日本映画として初のヴェネツィア国際映画祭金獅子賞を受賞する。

当時の大映株式会社の社長はワンマンで知られた永田雅一である。この賞を受賞した後に、大映からはスタッフに感謝状が配布されたのだが、そこにはあたかも永田自身の方針としてこうした作品が制作されたかのように書かれてあった。それに欺瞞を感じたのであろうか、後の黒沢関係の書籍でそうした表現が削られたものが当時の画像資料として感謝状が掲載されていた書籍を手にしたことがある。ではなぜ、私が本来の感謝状を知っているのか。実は、関係者からの資料提供でそれをいただいたからである。しかし、私がここで表現が削られていると書いても、証拠となるものを私が示さない限りは、本来の感謝状の文面がどのようなものなのか、いやそうもそもあるのかどうかまでも疑わしいことになる。また、それを何故削ったのかということも、今となっては藪の中なのだろう。とりあえず私の削ったことについての解釈は先の通りである。もちろん現実とはそのようにどこか曖昧さが漂うものだと私は思う。

さて、そんなことを書いてみたのも、同じ出来事でも、違う立場から見ると、全くの別物になっていることを、私たちは誰でも経験している。むしろ、誤解も誤認もなく、何か一致したものを皆で共有できることのほうがまれなのであろう。もちろん、ここでは、出来事である事実と、それを解釈して生まれる真相とは、別の次元のものであることを前提としている。しかし、何の解釈もしない客観的な事実そのものというものが、数値データ以外、現実に存在するのだろうか。

現実ですらそうであるのに、小説や映画でひとつの真相を示すことは可能なのだろうか。情報の取捨選択があるので、そこにある程度の事実は生まれると思うが、その事実の解釈や意味付けである真相は、作者や読者それぞれの立場からの理解によって異なるはずだ。もちろんそれがミステリーならば、誰もが納得する事実としての真相を示さない限り、読者や観客は納得しないだろう。確かに、芥川龍之介『藪の中』をミステリーとして読み、そこに誰もが読み取れる事実が描かれているとする立場がある。つまり、犯人あるいはそこで起きた真相を誰もが同じく読み取ることが可能だというのだ。しかし、小説『藪の中』やそれを原作とする映画『羅生門』は、実は藪の中しか描かれていない。また、そうだからこそ、作品が長く親しまれてきたのだろう。繰り返すと、いわば藪の中に満ち溢れているこの現実をリアルに描き、そこに人間の愚かさ、愚直さを見るということこそが、いわゆる近代性のある小説あるいは映画だったのかもしれない。

I　まずは作者や作品をめぐる余計な話から

二人の男を手玉に取った女のエゴイズムが描かれたとも読むことができる芥川龍之介の歴史小説『藪の中』だけでなく、それに発表が一年ばかり先行する現代小説『妙な話』もまた、同様の女のエゴイズムが描かれていたと読むことができるのではないだろうか。かねてより、芥川龍之介の遺書にある「秀夫人の利己主義や動物的本能(注1)」を論拠として、『藪の中』に女性のエゴイズムの問題は指摘されてきた。同じく、この期の秀しげ子との恋愛劇をこの『妙な話』と重ねることもまたできるはずだ。それがもし可能であるならば、芥川龍之介の小説『妙な話』とは、その大枠として、『藪の中』に先行する女性のエゴイズムの問題と利己主義とをテーマに持ちながら、「真相は藪の中」へと向かう迷宮的世界なのだと位置づけることができるだろう。もちろん、現代小説ということで、そこに秀しげ子以外にも作家の個人の体験もまた大きく影響を与えたかもしれない。(注2)しかしここでは、1921年1月に発表された『妙な話』とその1年後に発表された『藪の中』(1922年1月)とは、先の遺書に書かれた女性のエゴイズムと「真相は藪の中」とする複合的な物語構造が設定されていたという点で相互に通じるものがあったことを、『妙な話』の物語構造から確認して、それを解読の起点としたいと思う。

歴史小説『藪の中』では、非モラル的な「妻」の行為が「清水寺に来たれる女の懺悔」として回収された。そのことで、女性不信あるいは不貞というテーマが女のエゴイズムの問題として抽象化されて論じられる回路を手にした。それに対して、『妙な話』では、非モラル的な「千枝子」の行為が、「神経衰弱」として放置されたままなので、この不信あるいは不貞というテーマが女性のエゴイズムの問題として読み替えることは抑えられてきた。「千枝子」は自らのエゴイズムを手にするわけでもなく、また、開き直って言い訳をするわけでもない。語られる「千枝子の手紙」からは、彼女はただモラルに揺らぐ存在でしかないからだ。『妙な話』が論じられてこなかった理由のひとつは、こうした「千枝子」

のあり様があいまいさを持つという事情からではなかっただろうか。

ここでは、女性のエゴイズムの問題と利己主義、そして「真相は藪の中」だとするテーマ性を、どのように『妙な話』が先行して組み込んでいたのか、そのことで『妙な話』が読み手である読者にどのように受容されようとするのかも、さらに物語構造から照らしだすことを試みたいと思う。そしてこれらのことで『妙な話』が新たな相貌を示すことを目論むことにする。

Ⅱ 登場人物「村上」が話す「妙な話」に耳を傾ける

小説『妙な話』は、この題名とも重なる「旧友の村上」が話す「妙な話」が、そのまま同じ「妙な話」として「私」にもそして読者にも受けとめられなくなるという、アイロニカルな物語構造が構築されていることを、また先に指摘したいと思う。全く別の意味での「妙な話」に結末で変貌していく面白さについて、その構図を明らかにしていきたいのである。

まず、「旧友の村上」が話す「妙な話」は次のように登場人物「私」に語られていた。

或冬の夜、私は旧友の村上と一しよに、銀座通りを歩いてゐた。

「この間千枝子から手紙が来たつけ。君にもよろしくと云ふ事だつた。」

村上はふと思ひ出したやうに、今は佐世保に住んでゐる妹の消息を話題にした。

「千枝子さんも健在《たつしや》だらうね。」

「あゝ、この頃はずつと達者のやうだ。あいつも東京にゐる時分は、随分神経衰弱もひどかつたのだが、——あの時分は君も知つてゐるね。」

「知つてゐる。が、神経衰弱だつたかどうか、——」

「知らなかつたかね。あの時分の千枝子と来た日には、まるで気違ひも同様さ。泣くかと思ふと笑つてゐる。笑つてゐるかと思ふと、——妙な話をし出すのだ。」

「私」に語る「旧友の村上」にとっては、「千枝子」が「神経衰弱」が「ひどかつた」ことを前提としての妹の「妙な話」なのである。そして、その「妙な話」「はあいつが佐世保へ行く前に、僕に話して聞かせたのだが。——」で始まった。
このように「妙な話」は、「旧友の村上」が「私」に語る、「神経衰弱」となっていた村上の妹「千枝子」から聞いた「妙な話」なのであった。それは「赤帽」による「千枝子」

とヨーロッパに駐留する彼女の夫との不可思議な異界交信譚であり、「神経衰弱」だということでその実在が当初から疑わしい「赤帽」によって彼女が脅かされるという怪奇譚ともなっている。しかし、その怪奇譚を「村上」から聞いたために、聞き手「私」の過去の「千枝子」との別のドラマがそこに浮かび上がることになる。それがこの「妙な話」の、あたかもオチのような結末であった。

『藪の中』は、複数の語りが重なりながら、真相（注3）の向こう側にある主題性が浮かび上がる構造だと考えていいと思う。それに比べて、『妙な話』は、「千枝子」の話を兄である「旧友の村上」が「私」に話すことから始まる。背後に「千枝子の手紙」があるにせよ、「旧友の村上」からの語りによる「妙な話」なのである。そして、その語りのなかで、「千枝子の手紙」による間接的な語りが重なりながら、曖昧ではあるが真相の向こう側にある主題性が浮かび上がるのである。なぜなら、ここでの直接あるいは間接的な語りが「赤帽」幻影についての何か真相を語っているわけではないからである。また、何よりも、この作品は真相にたどり着くことを求めてはいない。このことは、1年後に発表された『藪の中』と同じであると私は考えている。繰り返すと、語りの重層によって真相の向こう側にある主題性が浮かびあがる仕掛けが、これらのテクストなのであった。

Ⅲ　村上の妙な話と千枝子の病が向かうところ

「旧友の村上」が「私」に語った話は、「千枝子」が「精神衰弱」であったことを前提としていた。そのために、「旧友の村上」が語る「千枝子」が怯える「赤帽」幻影は、その原因を「千枝子」の内面に求めざるを得ない。しかし、夫の帰国によって平穏な精神状態になった後、その不思議な「赤帽」の話が、夫の経験した不思議な「赤帽」の話とも結びつくという顚末を持っていた。ただ、この話は、全て「旧友の村上」から語られる話であるために、そこに彼の意図らしきものが見え隠れしているとするのか、あるいは「旧友の村上」が妹「千枝子」の「よこした手紙」による話となっていることから、夫の「マルセイユで見かけた」「赤帽」の話も含めて、彼女による脚色があるとするのかで、大きく物語の相貌が異なってくるだろう。(注4)ここでは、「千枝子」の「精神衰弱」と、彼女が「よこした手紙」であるために何がしかの「千枝子」によるバイアスが生じていると私は受けとめたい。その意味では、村上によって語られた『妙な話』は、「旧友の村上」によるバイアスなどはほとんどなくて、「精神衰弱」に陥り、「神経がどうかしてゐた」妹による「妙な話」なのであるとしたいのである。そして、もしそうであるならば、夫の「赤帽」の「妙な話」を別にすると、「千枝子」の「赤帽」譚は、後の「私」の回想と結びつくものであった。しかしそれは、彼女の背徳というドラマの内実を無化する筋立てであり、真相を見えなくする物語ではなかったか。だからその「赤帽」譚を構築する物語とは、「千枝子」のエゴイズムがそこに姿を現していることに他ならないと私は考える。そして「千枝子」が自らの背信を無化する物語が千枝子の「妙な話」であるならば、確かにそこには、一年後に発表される『藪の中』と通じる女性のエゴイズムというテーマ性があったと思う。

Ⅳ　にやりと笑った赤帽はたしかに怖い

さて、「旧友の村上」による「千枝子」の「妙な話」をここで辿ろうと思う。最初のそれは、「紀元節」の「朝から雨の降り出した、寒さの厳しい午後」「鎌倉へ、遊びに行つて来ると云ひ出した」日、「——それが妙な話なのだ」という、「神保町の通り」に「海の景色」が「映」り、「中央停車場へはひると、入口にゐた赤帽の一人が、突然千枝子に」「旦那様は御変りもございませんか。」と「挨拶をした」という出来事である。その日、彼女は「雨に濡れた儘、まつ蒼な顔をして帰つて来た」という。

二番目の「妙な話」は、最初のそれと、その後の「二度目の妙な話」に挟まれて、また「鎌倉行きの祟り」の続きとして、比較的軽い出来事と扱われていた。

　鎌倉行きの祟《たゝ》りはそればかりではない。風邪がすつかり癒つた後でも、赤帽と云ふ言葉を聞くと、千枝子はその日中ふさぎこんで、口さえ碌に利かなかつたものだ。さう云へば一度なぞは、何処かの回漕店の看板に、赤帽の画があるのを見たものだから、あいつは又出先まで行かない内に、帰つて来たと云ふ滑稽もあつた。

　この「たとへば一度なぞは」という出来事に留意し、私はこれを二番目の「妙な話」と位置づけて、この論においては二番目の出来事としたいのだ。確かに、「赤帽」ではなくて、「赤帽の画」ではあるが、その時も「千枝子」にはどこか行くべき「出先」が有ったことは確かなのである。

　そして、三番目の出来事は、「旧友の村上」の語るところでは、それが「二度目の妙な話」とされている、中央停車場での赤帽の話である。その出来事には、その前兆までも語られていた。

その三月の幾日だかには、夫の同僚が亜米利加《アメリカ》から、二年ぶりに帰つて来る。——千枝子はそれを出迎へる為に、朝から家《うち》を出て行つたが、（略）通りがゝりにふと眼をやると、赤帽をかぶつた男が一人、後向きに其処へしやがんでゐた。勿論これは風車売が、煙草か何かのんでゐたのだらう。しかしその帽子の赤い色を見たら、千枝子は何だか停車場へ行くと、又不思議でも起りさうな、予感めいた心もちがして、一度は引き返してしまはうかとも、考へた位だつたさうだ。

しかし、「千枝子」は中央停車場に「出迎へ」に向かった。そして、「出迎へをすませてしまふまでは」「何事も起らなかつた」というのである。「唯、夫の同僚を先に、一同がぞろぞろ薄暗い改札口を出ようとすると、誰かあいつの後から、『旦那様は右の腕に、御怪我をなすつていらつしやるさうです。御手紙が来ないのはその為ですよ。』と、声をかけるものがあつた。千枝子は咄嗟にふり返つて見たが、後には赤帽も何もゐない。ゐるのはこれも見知り越しの、海軍将校の夫妻だけだつた。」という。しかし、「改札口を出」て「自動車に乗るのを送りに行つた。するともう一度後から、『奥様、旦那様は来月中に、御帰りになるさうですよ。』と、はつきり誰かゞ声をかけた」。「一人も赤帽は見えなかつた」が、「自動車に荷物を移してゐる」「赤帽」「の一人がどう思つたか、途端にこちらを見返りながら、にやりと妙に笑つて見せた。千枝子はそれを見た時には、あたりの人目にも止まつた程、顔色が変つてしまつたさうだ。」という。しかし、その「笑つ」た「赤帽」の「顔」は覚えていないという。

今笑つた赤帽の顔は、今度こそ見覚えが出来たかと云ふと、不相変《あひかはらず》記憶がぼんやりしてゐる。いくら一生懸命に思ひ出さうとしても、あいつの頭には赤帽をかぶつた、眼鼻のない顔より浮んで来ない。——これが千枝了の口から聞いた、二度目の妙な話なのだ。

この「二度目の妙な話」の前には、繰り返しになるが、二番目の出来事として、「赤帽の画」によって「千枝子」がどこか予定していた「出先」へ行けなかったといったことがあったのである。そのために、ここでは、最初の出来事、二番目の出来事、そして「二度目の妙な話」（三番目の出来事）と続き、さらにその四番目の出来事としては、「千枝子夫婦が、中央停車場を立つた時に、夫婦の荷を運んだ赤帽が、もう動き出した汽車の窓へ、挨拶の心算か顔を出した」出来事が続くのだ。そして、この「顔を出した」「赤帽」が、夫の「マルセイユで見かけた」「赤帽」であり、その彼が中央停車場に再び現れたという出来事なのである。「千枝子」の「夫」にとっては二度目となる奇妙なこの出来事は、この物語の中では「千枝子」の四番目の出来事となる。「千枝子」は、この四番目の出来事を「妙な話」のひとつとして、兄である「旧友の村上」に「よこした手紙」で書き記したのであろうか。

その顔を一目見ると、夫は急に変な顔をしたが、やがて半ば恥かしさうに、かう云ふ話をし出したさうだ。——夫がマルセイユに上陸中、何人かの同僚と一しよに、或カツフエへ行つてゐると、突然日本人の赤帽が一人、卓子《テーブル》の側へ歩み寄つて、馴々しく近状を尋ねかけた。勿論マルセイユの往来に、日本人の赤帽なぞが、徘徊してゐるべき理窟はない。が、夫はどう云ふ訳か格別不思議とも思はずに、右の腕を負傷した事や帰期の近い事なぞを話してやつた。その内に酔つてゐる同僚の一人が、コニヤックの杯をひつくり返した。それに驚いてあたりを見ると、何時の間にか日本人の赤帽は、カツフエから姿を隠してゐた。一体あいつは何だつたらう。——さう今になつて考へると、眼は確かに明いてゐたにしても、夢だか実際だか差別がつかない。のみならず亦《また》同僚たちも、全然赤帽の来た事なぞには、気がつかないやうな顔をしてゐる。そこでとうとうその事に就いては、誰にも打ち明けて話さずにしまつた。

「日本人の赤帽」が「マルセイユ」の「カツフエ」に現れること自体が、不可思議であり、「馴々しく近状を尋ね」ることなどはどう考えてもあり得ない。そもそもこの「マルセイユ」の「赤帽」の話は、「千枝子」の前に現れた「赤帽」が前提となっている。「マルセイユ」の「夫」の前に「日本人の赤帽」が現れることで示されるのは、「千枝子」と「夫」との結びつきであり、「旧友の村上」が指摘する「千枝子」の「精神衰弱」をもたらした、「夫」不在による彼女の寂しさを間接的に示したものではなかったか。いわば、「千枝子」が語る以心伝心的な夫婦間の情愛がそこには表現されていたのである。

所が日本へ帰つて来ると、現に千枝子は、二度までも怪しい赤帽に遇つたと云ふ。ではマルセイユで見かけたのは、その赤帽かと思ひもしたが、余り怪談じみてゐるし、一つには名誉の遠征中も、細君の事ばかり思つてゐるかと、嘲られさうな気がしたから、今日まではやはり黙つてゐた。が、今顔を出した赤帽を見たら、マルセイユのカツフエにはひつて来た男と、眉毛一つ違つてゐない。

「夫」は「赤帽に遇つた」ことを、「余りに怪談じみてゐる」としながらも、その原因のひとつとしては「細君の事ばかり思つてゐる」からかもしれないと言う。しかし、「夫」が「マルセイユ」で「赤帽に遇つた」というこの「怪談じみ」た話は、「千枝子」が「よこした手紙」による、いわば間接性を持つものであり、場面の彩度からいうと、もっとも薄いものになる。「千枝子」が聞いた「夫」からの話として、彼女が「よこした手紙」による「旧友の村上」からの話だからだ。そして、この「千枝子」と「夫」とのこうした「赤帽」譚の一致あるいは共有は、確かにこの後の「千枝子」の不貞背徳の話からは遠のかせてしまう。そのために、後の展開になるが、「私」の中央停車場での密会の約束の記憶と重ねられた「千枝子」の行動の本当の意味の顕在化によって、彼女と「夫」の「赤帽」譚は簡単に遠景化されてしまうのである。しかし、後の結末部解読による「千枝子」の行動の理由の顕在化を前提にしなければ、確かに物語の方向は、この作品名と結びつきながら怪奇譚へと推移するのであった。

Ⅴ　「私」に受けとめられた「妙な話」と読者が読み取る「妙な話」

「旧友の村上」による「千枝子」の話から、「私」は「千枝子」との過去のいきさつを思い出す。そして、「私」と「千枝子」との密会の約束とそれが果たせなかった理由を読者は知るのであった。これこそが、「夫」の怪奇譚を含む「旧友村上」が語る「千枝子」の「奇妙な話」の彩度が、ここにきて急速に薄められてしまう「私」によるオチなのであった。ここから、怪奇譚への推移は弱まってしまうのである。


　村上が此処まで話して来た時、新にカツフエへはひつて来た、友人らしい三四人が、私たちの卓子《テーブル》へ近づきながら、口々に彼へ挨拶した。私は立ち上つた。

「では僕は失敬しよう。いずれ朝鮮へ帰る前には、もう一度君を訪ねるから。」

私はカツフエの外へ出ると、思わず長い息を吐いた。それは恰度三年以前、千枝子が二度までも私と、中央停車場に落ち合ふべき密会の約を破つた上、永久に貞淑な妻でありたいと云ふ、簡単な手紙をよこした訳が、今夜始めてわかつたからであつた。

しかし「私」が「三年以前、千枝子が二度までも私と、中央停車場に落ち合ふべき密会の約を破つた上、永久に貞淑な妻でありたいと云ふ、簡単な手紙をよこした訳が、今夜始めてわかつた」と「思わず長い息を吐いた」理由を述べたとき、読み手である読者は「二度までも」という言葉にいささか躓きながらも、「簡単な手紙」がモラルに基づいた内容であることに驚くのではないだろうか。この躓きは、後に触れるとして、それと同時に怪奇な「赤帽」幻影が、「私」にとってさほど問題にされていないことにも気がつくことになる。それは、そうした怪奇な「赤帽」幻影をたやすく受け入れる「私」を描いたということなのだろうか。いや、そうではないだろう。題名となった「妙な話」は、とりあえずは「旧友の村上」にとってのそれであり、「私」はその「妙な話」にのってはこない。「千枝子」の不貞を知る「私」にとって、「赤帽」は「千枝子」のうしろめたさがもたらした幻影でしかないのだ。

先の「三年以前、千枝子が二度までも私と、中央停車場に落ち合ふべき密会の約を破つた」という読者の読みの躓きに話を戻したい。これまで辿ったように、「旧友の村上」が話した「千枝子」の異変は三回あった。「千枝子」は、三度、外出から急に帰宅したようである。そのうちの二回は自身との密会であると知るこの登場人物「私」にとっては、この「赤帽」は「千枝子」自身のうしろめたさを撃つモラルの化身だということになる。「千枝子」が「私」に向けた「簡単な手紙」にある「永久に貞淑な妻でありたい」という言葉が空疎なものに変容することが仕組まれていたからである。つまり、「夫」の「マルセイユ」での話などは、自分の背信背徳を隠蔽するために「千枝子」が語った作り話のようにも受けとめることになるからだけではない。妹の「夫」に職業軍人を持つ近代日本の「家」共同体のひとつとして、兄妹が共犯的に当時のモラルをお互い信じようとしているのである。しかし、こうした兄妹で手にしようとする近代日本のモラルの「神話」に亀裂を生ませたのは、「私」の内的告白であり、「旧友村上」の「話」に対する関心の置き方であった。「私」は、そうした怪奇な「赤帽」譚には少しも関心を払うことがなく、「千枝子」との過去のいきさつを思い出していたのである。そしてそれが、「三年以前、千枝子が二度までも私と、中央停車場に落ち合ふべき密会の約を破つた」ことと三回の怪奇な「赤帽」譚が結びつく。このときすでに「妙な話」は、『旧友の村上」の話からは薄れてしまうことになる。そして、「妙な話」は、この箇所で先の読者の読みの躓きと結びつくことになる。

「私」と読者が共有する「妙な話」とは、怪奇な「赤帽」の登場ではなく、「千枝子」が急に帰宅したことが三度あったのではないかということである。「旧友の村上」の「二度までも」という表現に促されるように「私」もまた「二度までも」と内的告白をしているが、「私」と読者は、最初の出来事、「赤帽の図」に脅かされた二番目の出来事、そして「二度目の妙な話」、と「旧友の村上」の話を辿っていた筈である。そして、「私」との密会とは別に、「千枝子」が他の誰かとも密会していたのではないかという疑念が生まれる。もしこの「赤帽の図」の時に、もうひとつの「密会」があったならば、それこそ「私」には気がかりなことであった筈だ。だからこそ、「旧友の村上」と話していた時に、彼の知り合いたちが登場することで「私」は動揺するのである。「私」と同じように、このなかに「千枝子」の愛人がいるのではないか、という動揺である。また、「赤帽」がモラルの化身だとするならば、「千枝子」の夫にもまた愛人がいたのかもしれないということにもなる。たとえば、「赤帽」の赤色は、当時の囚人服が赭色という暗い赤茶色なので、色が犯罪を象徴するものとしてイメージを重ねることができるかもしれない。また、姦通罪によって北原白秋が告訴されるというスキャンダルはまだ当時の人々の記憶に新しい筈である。(注5) 読者の関心が、「千枝子」の「赤帽」幻影から離れて物語内の「現実」に向かうのか、それともこうした「神経衰弱」に生まれる怪奇譚に惹かれるのかは、もちろん個々の読み手に委ねられているのだろう。ただ、「旧友の村上」が登場人物「私」に語るという物語構造が構成されている以上、読者が感心を向けることになるのは、「私」に向けて語られる物語内「現在」ではないだろうか。この「現在」こそが彩度がもっとも濃いからだ。

Ⅵ　重層化された物語世界をめくってみると

この「妙な話」は、物語内「現在」②と「旧友の村上」によって語られる「千枝子の手紙の世界」①という二つの意味の場があり、それらをつなぐように「旧友の村上」による物語内「今」を絶えず「私に」顕在化させる語りの持続によって構造化されていた。つまり、物語構造としては、物語内「現在」②、「旧友の村上」が語る「現在」②に向けての時間（＝物語のはじめと終わりを示す時間）の流れ、その村上の語りが依拠する「千枝子の手紙の世界」①（含む村上と千枝子のあったかもしれない会話）、そこに「私」の回想的記憶が加わっていたのである。物語内部での審級が異なる世界として図式化するならば、「千枝子の手紙の世界」①、物語内「現在」②、物語内「私と千枝子の過去の出来事」③、物語内「語られない可能世界」④に分けることができる。「千枝子の手紙の世界」①

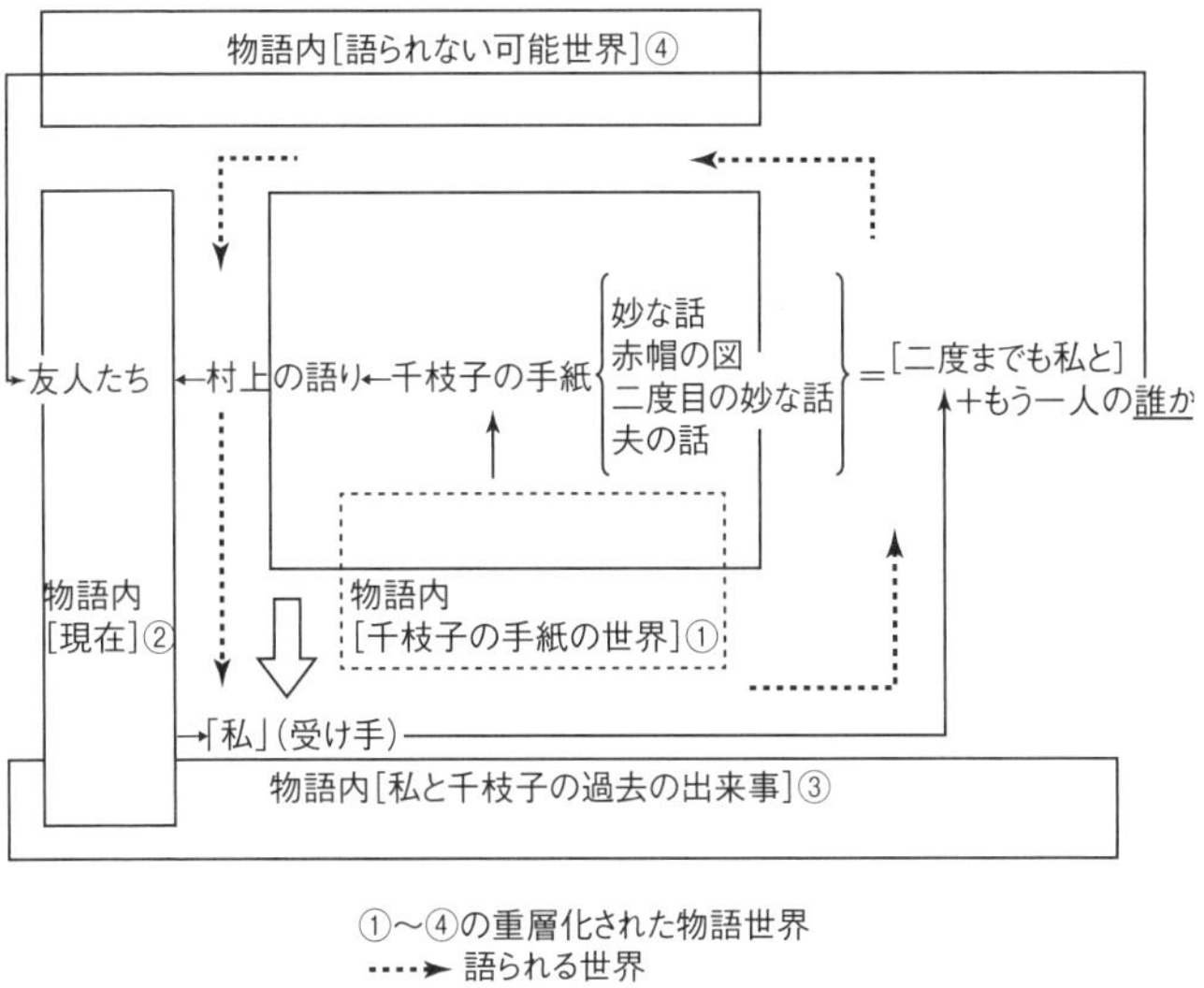

に拠って「旧友の村上」が「私」に語っている世界が物語内「現在」②であり、それを語られている「私」には自分の記憶によって物語内「私と千枝子の過去の出来事」③を構築している。しかし、「旧友の村上」が「千枝子の手紙の世界」①をもとに語り、それを受けて物語内「私と千枝子の過去の出来事」③を構築する「私」を統合する時空である物語内「現在」②に加えて、読者には物語内「語られない可能世界」④の審級が存在する可能性を持つことができる。

たとえ、「旧友の村上」の「二度」と「私」の「千枝子」との「二度」が結びついても、読者は「千枝子」の「赤帽の図」

で躓くのではないか。そして、これまで語られてきた『赤帽』幻影は、この辺りから意味が急速に変容し始めるのだ。つまり、怪奇譚から背信を無化しようとする女性のエゴイズムの話へと変わるのだ。そしてまた、「私」の「二度」で閉じられようとした背信の世界も、「旧友の村上」の「友人たち」の登場で別の方向に揺れる。「千枝子」を前に置くと、「旧友の村上」と「私」の関係は、「旧友の村上」と「友人たち」との関係と、同じである。その「友人たち」の登場とあわてて席を立とうとする「私」の無言の劇が、それまで曖昧なままだった「赤帽の図」の意味を顕在化させるのである。繰り返しになるが、「千枝子」のもうひとつの、「私」以外の誰かとの「密会」とその「画」は結びつく可能性を持つのである。（注6）

この「妙な話」は、「千枝子による」女性のエゴイズムの現前とともにその裏側にある彩度が異なる真実らしきものが次々と顕在化することで、いわゆる「真相は藪の中」を生むことになった。しかし、それは、この「旧友の村上」の話と「私」のそれに対する反応とを重ねた、あくまでも、受容する読者による統合である。間接性が重ねられることによって、想像される世界が重層的に現前化したにせよ、その現前化した世界の根拠がモラルや「手紙」そして「記憶」などの間接性によって薄らいでいくという仕掛けが、このテクストに配置されていた。モラルに支配された「千枝子の手紙の世界」①によって「村上」が語る場と物語内「現在」②がここでの「現在」であるならば、物語内「私と千枝子の過去の出来事」③は、「私」の記憶による過去であり、その「現在」と隠れていた過去との通時的な物語の流れのなかに、可能性としての物語内「語られない可能世界」④が現前するのである。確かにそれは、可能性でしかないのであるが、その向こう側は怪奇譚でしかないので、現代小説の読者はその物語内「現在」②にとどまるのであろう。そして、現代小説としてのリアルさが生まれるとすれば、情報の間接性によって重層的に重ねられた世界の向こう側に、人間のエゴイズムが見え隠れしているいわゆる「藪の中」という状態が表現できたことによるのではないだろうか。

注1　遺書の冒頭は、特に小説『妙な話』と芥川龍之介自身との関連を考える立場をとるならば、重要である。引用すると「僕等人間は一事件の為に容易に自殺などするものではない。僕は過去の生活の総決算の為に自殺するのである。しかしその中でも大事件だつたのは僕が二十九歳の時に秀夫人と罪を犯したことである。僕は罪を犯したことに良心の呵責は感じてゐない。唯相手を選ばなかつた為に（秀夫人の利己主義や動物的本能は実に甚だしいもので

ある。）僕の生存に不利を生じたことを少なからず後悔してゐる。なほ又僕と恋愛関係に落ちた女性は秀夫人ばかりではない。しかし僕は三十歳以後に新たに情人をつくつたことはなかつた。これも道徳的につくらなかつたのではない。唯情人をつくることの利害を打算した為である。」とあり、秀夫人とのことが「大事件」であり、「利己主義」や「本能主義」に触れていることに留意したい。

注2　1921年1月に発表された『妙な話』とその1年後に発表された『藪の中』（1922年1月）は、共に秀しげ子と出会った後の作品であり、当然ながら秀しげ子と芥川龍之介の関係については、当時よりさまざまな証言や調査が重ねられている。1919年に芥川龍之介はしげ子と知り合ったのだから、1921年に発表された『妙な話』やその翌年に発表された『藪の中』に、芥川自身の体験や考えをみることもできるだろう。高宮檀『芥川龍之介の愛した女性』（彩流社　2006年7月）では、『藪の中』と『妙な話』の両作品に、具体的なしげ子の当時の状況やしげ子をめぐる交友関係を重ねて解読している。

注3『藪の中』について、その真相や犯人、つまり物語的事実から明らかになるほんとうのことを明らかにするという解読も重ねられている。ここでは、『藪の中』や『妙な話』の解読においてそうした立場は採らない。

注4「村上」によるバイアスが、彼の語りにはあるとするのが、「千枝子の体験した奇妙な怪異譚を「私」に告げる村上は、妹の千枝子と「私」との不義の関係を事前に看破したうえで、

「私」に対して不倫の恋を穏便に詰問する推理ショーのようなものを展開しているのだと解釈したい」とする金子佳高「愛と権力－芥川龍之介「妙な話」論」（『文学研究論集　第44号』明治大学大学院　2016年2月）である。

注5　北原白秋のスキャンダルは1912年であったが、この『妙な話』が発表された2年後、有島武郎が人妻波多野秋子と心中するという事件が起きた。

注6　確かに、ここに芥川龍之介と秀しげ子とさらに別の人物を取り上げた、当時の証言を重ねてもいいのだが、小説テクストの構造として考えることにする。

※引用はすべて岩波書店版『芥川龍之介全集　第七巻』（1996年5月）からである。

第6章

「視線」

岩井俊二『四月物語』

さまざまなまなざしが自分の「視線」を気づかせてくれる

映像テクストはレンズを通した画像である。そのために、映画やテレビドラマの観客や視聴者（注1）はレンズを通して対象を見ていることになる。いわばカメラの「視線」に、観客や視聴者の「視線」が重ねられることになるのだ。そのために、レンズを使ったカメラの「視線」は、そのカメラの位置によってさまざまな意味を持つ。もちろん、三人称小説における神の視点のように、カメラの「視線」は世界全体を眺め得る「視線」であり、そこから物語世界を切り取る眼だということになるだろう。

さまざまな角度から世界を切り取ることを観客に強要するだけではない。さらにまたカメラは、登場人物の「視線」としてもレンズを利用する。観客や視聴者は、全体を見ることを強いられることもあり、また場面によっては登場人物のひとりの「視線」と重ねられることもあるのだ。さまざまなまなざしの連鎖による新たな物語世界の構築が、上映や放送の時間的な制約（注2）のなかで行なわれる。

三人称小説には、超越的で全てを見渡すことができるいわば神の視点からのものと、視点を物語世界の外に置きながらも作者や語り手などのそれとわかる位置を持った視点からのものがある。そのために、カメラの「視線」による映像の物語は、たいていは三人称小説の表現スタイルに近いものとして受けとめられる。

たとえばナレーションと重ねられた場合は、語り手の「視線」とすぐに受け取られることになる。しかしナレーションがなくてもやはり同じように語り手の「視線」と認識されることになると思う。それは、カメラが機械であり、レンズが情報を取り込むことに客観性を持つからかもしれない。しかし、カメラを向けることで生まれる対象を見るという「視線」の欲望、場面を編集することで生まれる対象を顕在する「モンタージュ」の力学が、映像のテクストには組み込まれているのだということができる。

しかしここでは、そうした欲望や力学を監督やカメラマンといった具体的な個人の意識(注3)に回収しようというのではない。もちろん、そうした監督やカメラマンに回収する映像論の表現スタイルが有効な場合もあるだろうし、そうでなければ対象化できない事象もあるだろう。ここでは、映像テクストとして組み込まれたさまざまな「視線」がどのような物語を生むのかを考えたいのである。

Ⅰ　主人公の「視線」に重ねることで、その想いがわかることもある

地方から上京し大学生として東京でのひとり暮らしを始める楡野卯月を描く、この映画『四月物語』は、駅で家族たちみんなが主人公を見送る場面から始まっていた。ここでのカメラの「視線」は、主人公の「視線」と重ねられている。そのために描かれることになったのは、主人公の「視線」による主人公が見た世界といえよう。私たち観客は、電車に乗っている主人公の「視線」でこの駅での家族の見送りを見ることになる。ここでは駅で家族によって見送られる主人公の姿が映し出されることは一度もない。見送りの家族たちのまなざしがすべてレンズに注がれることで、そこに主人公がいるはずだと観客が想定するという仕掛けであった（構図1）。

そして、主人公の言葉も姿もないこの場面では、ただ故郷を去る電車の扉の近くに立つ彼女の手だけが写し出されてい

構図1　家族の見送りのシーン

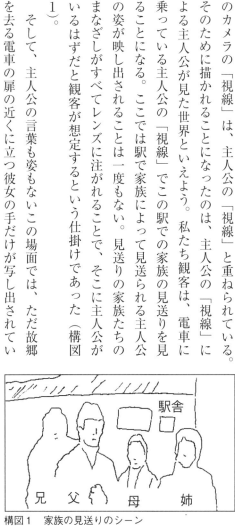

た。もちろんそれも、主人公の「視線」から見えているものであり、主人公を視点とした主人公が見た世界ということになる。しかし、その映し出された手が触れているガラス窓の外でつたわり落ちる水滴は、別れと旅立ちの主人公の心情に重ねられることもあるのではないか。まだ姿を見せない主人公の故郷を後にする悲しみの涙というものを、その流れ落ちる水滴は象徴的に示していたのかもしれない。そうしたシンボリックな意味をこの水滴に重ねたときにだけ、観客は主人公の「視線」から自由になれるのだろう。逆にいうと、カメラレンズによる主人公の「視線」は、見えたものはただ主人公から見えたものでしかないという一元的な意味支配に強く向かわせるものだった。

登場人物「家族たち」として、主演松たかこの実際の家族たちに出演してもらうという、虚構と現実を交差させることは、ここでの映像が物語に変貌していく現象のなりたちをよく示しているのかもしれない。家族たちとして示される映像は知識があればまぎれもない現実でもあるのに、それらは再び映像の物語という虚構のなかでの「現実」として再構成されていく。現実が、虚構のなかの「現実」に変貌するのである。また、主人公卯月の「視線」はその実、カメラの「視線」でしかない虚構であるが、そしてなによりもそれは観客の「視線」である筈なのに、映像の物語のなかでの「卯月の視線」としての意味を持つ。虚構が、虚構のなかの「現実」に変貌するのである。つまり、現実も虚構も含んだ映像という情報群が、共に物語という虚構のなかで「現実」に変貌したとき、そこに生まれているのが映像の物語だという物語生成の力学を、この見送りの場面はよく示していたことになる。もちろん、この場面の映像の場面には、どこにも音声言語による特権的な語り手がいない。つまり、この見送りの場面では、示されるさまざまな映像記号を支配するような主人公楡野卯月による直接のセリフはどこにもなかった。こうしたカメラアイによる一元的な意味支配についてもう一度だけ繰り返すならば、観客は卯月の同伴者として、彼女の目に映った世界をただ共有するように仕向けられていた。

Ⅱ　観客に委ねられた卯月の価値意識

卯月の目に映った雪が残る旭川の風景を後にして、その次の場面では空っぽの部屋に身を置く主人公卯月の姿が映し出された。ここではすでにまなざしの共有は終わり、画面は卯月の姿を映し出す。観客はようやく世界全体を見る立場（＝物語を享受する立場）に置かれた。これまでの主人公卯月の同伴者から、物語外部の観客に変わったのである。物語外部からの「視線」による世界が提示されたのだともいえる。そして、これから何かがはじまるだろうという予感は、彼女が上京した新入生だからというだけでなく、主人公のいるこの空っぽの空間がやがてさまざまな出来事で埋まっていくことを想像させるからかもしれない。やがてローアングルの場面は桜が散る東京の住宅街に切り替わる。卯月の新しい住まいに彼女の荷物が届くあたりからタイトルバックは消え、物語は始まるのであった。

当然ながら、桜が咲き散るこの東京の住宅街の場面は、彼女の故郷との気候の落差を視覚的にも示していた。新たな視覚的なイメージは、「四月」を示す「桜」「新入生」「引越し」に加えて、「嫁入り」と連なっていく。この「嫁入り」という門出は、同時に主人公の門出でもあったのだろうか。ただ、この「嫁入り」という恋愛成就後の門出はいまだ伏線としても機能しているに過ぎないのだ。

引越しの荷物が新しい住まいに届く。誰でもが経験することだが、運送屋のひとたちは、部屋や荷物という極めてプライベートな領域にいきなり侵入してしまう最初の他人たちなのである。全く新しい社会や人間関係に身を置こうとするひとにとっては、このような引越しとは、出会いの物語の序章めいたものなのかもしれない。運送屋が訪ねてきて、ドアが開いたときから、卯月のセリフははじまる。それは、それまで遅延されていたこの映画の物語のはじまりでもあった。卯月は、こうした自分の引越しでありながら、搬入の手伝いすらも出来ない。また、荷物の一部を過剰なものとして返送することにも、運送屋のペースでそれが運ばれてしまう。このように、卯月の新しい生活はかよわく主体性のないものとして示されていた。

しかし、同時に地方出身であるこの主人公は、都会のルールに戸惑いながらも不器用なまでにそれと拮抗する姿も晒していた。地方出身者が都会に出て来て、人間関係の温度差に戸惑う姿はいまも見受けられるのかもしれない。そういう意味では、ここでの地方出身者とは、札幌や博多などの地方大都市からの上京ではなく、旭川からのそれでなければならなかった。それも、家族と駅員とが気楽に言葉を交わすような小さな駅のある町の出身であることが望まれたのである。そうした地方出身者として縁取られた卯月は、自分のもっている価値意識から、同じマンションの住民に引越しのあいさつに回ることになる。しかもそれに戸惑う隣人を卯月は気に留めない。学校での新しい生活もふくめて、卯月にとって都会のルールとはたぶん不慣れながらもまだ無意味なもののようである。むしろ、後で再び触れることになるが、隣人をカレーの食事に誘い、わずかな時間を置いてその誘いが受け入れられることなど、この卯月の価値意識から生まれた論理が都会のルールを突き動かした場面が用意されていた。卯月の新しい生活のなかでのかよわさや主体性のなさが示されながら、それでも自分のこうした論理を失っていないということが重要であると私は考える。

　さて、出発と戸惑いによる、卯月のこの「四月」は、しかしまだ彼女の本来の目的には届いていなかったことが徐々に明らかになる。大学生としての生活は、「四月」にセーターを着ていることで、北の地方から上京してきたことを、そして、彼女にとってはとても不慣れな都会の生活が始まったことを示す。だが、大学の新入生としてのイベントのなかにいる卯月を追う映像は、それ自体が事件になるようなものはなく、きわめて平凡なものであった。中野区出身の佐野さえこの誘いによる釣り部入部も、彼女の意志とは無関係のところで運ばれて行く。卯月という女性のイメージをつくっていくだけでなく、新入生の生活としても、それらはありふれたものかもしれない。それだけに、卯月に向けられた佐野さえこ質問だけが、観客のこころに残響する。

さえこ「なんで、ここの大学を受けたんですか?」
卯月　「はい?」
さえこ「ここ受けた理由」

卯月「そうですね、えっと…あのなんていうか、いろいろ…環境というか…あの…済みません」

なぜ「武蔵野大学」を受けたのかを佐野さえこは問う。答えられない卯月は、しかし学食でさえこと再び出会うことになった。その学食でさえこから名前を聞かれることで卯月の存在感の薄さが間接的に浮き彫りにされながらも、彼女から日曜日のショッピングに誘われる。が、卯月は「あしたは、ちょっと」「引越ししたばかりだから、荷物とかいろいろ。また、今度ね」と断る。しかしその日曜日、自転車を買ってから、それに乗り「武蔵野堂」という本屋をめざす場面で、観客はこの都会に不慣れな存在感の薄い女の子が、「武蔵野堂」という本屋をめざしていることに不審を抱くだろう。それは、卯月に向けられているのが、実は外部からの「視線」であることを観客に自覚させる「四月」の淡い光のなかで、自転車という不安定な道具によって姿をあらわす彼女のはっきりとした意志である。「四月」のあたたかい風は、自転車と共に突き進む彼女の意志を包み込む。はじめて見せたはっきりとした卯月の意志に、観客は彼女の冒険を見守るしかないととまどいながらも、なにか予感めいたものを感じ取るに違いない。

Ⅲ　映画で引用されたもうひとつの映画はどのように統合すると面白いのか

本屋「武蔵野堂」を訪ねた理由を私たち観客には知らされないまま、主人公卯月の時間つぶしが始まる。公園に行きベンチで本を読む。が、すぐにそこにいたカップルに追い出されるように公園を去り、ほとんど観客のいない白黒映画『生きていた信長』を上映している映画館にこんどは身を置く。たぶん本屋「武蔵野堂」がなにか関係しているらしいということはわかるものの、時間つぶしの場所で示された公園と映画館という光の落差は、映像のもつ光と影という原理的なものと重なりながら、一般的なイメージとしての性の光と影も強調させるかもしれない。しかし、そうした光と影、つまり公園でのカップルのキスと映画館での変質者などは、いずれにせよまだ主人公卯月にとっては自転車ですり抜けていくものであったことを示す。初々しいはじまりの物語にふさわしい映像空間の連鎖が作られていた。

しかし、映画館の場面は変質者という性のいわゆる影の部分を暗示しているだけではない。この映画のなかの映画の物語『生きていた信長』の場面とは、明智光秀が襲って殺した相手は徳川家康であり、織田信長はその徳川家康になりかわり幕府を開くということを、信長自身が光秀に語るシーンだった。光秀はその話を聞いてから信長に討たれることになるのであるが、その最後にどうやら信長とは歴史を超えた存在だという状況のなかで、自らを変えながら天下統一という目的に向かう信長を、卯月の隠された逞しさと重ねるにはまだ早いのかもしれない。しかし、騙し騙されるこの戦国劇はＳＦ喜劇でありながら、卯月の本来の物語の下地を作ることになる。

映画館の変質者から逃れて「武蔵野堂」に戻った彼女は、今度は定休日がいつなのかを店員に聞く。店員からそれは明日だと聞いて、自転車で家に帰る卯月は、ここで再び変質者に出会うことになる。しかし、逃げるために、彼女は必死に夕暮れの街を自転車で駆け抜けた。ここではそれを、都会での女の子の一人暮らしが生むありふれた冒険として私たちは受けとめてしまう。

その翌日という設定だろうか、大学の教室でなにか企む佐野さえこに誘われ、卯月は釣り部の説明会に行った。そこで卯月は、サークルの説明をする部長に、フライの疑似餌をカーディガンのボタン穴に掛けられる。そうした異性の接近にどぎまぎする、うぶで優柔不断な彼女は、入部を断ることなく彼らの練習に初参加する。物語の享受者である観客の卯月のイメージはこうしてこれまで同様に固められてきたので、この引用された映画がどのような意味を持つのかまだわからないままである筈だ。

再び卯月は「武蔵野堂」を訪れ、そこで働く青年にどぎまぎする。しかし、その店員の青年は卯月になんの関心も示さないまま、レジを打つ。そして、卯月の緊張だけが観客に伝わる。それから夕暮れのやさしい光の街を卯月は自転車で駆けた。しかし、彼女の気持ちの内実はまだ観客にはあいまいなままである。この場面はたぶん、これまでの卯月のイメージの延長にあるものとして、きわめてあいまいなまま観客に理解されるのだろう。

スーパーの買い物袋を自転車のカゴに入れて部屋に帰った卯月は夕食を作る。しかし、そこで隣人をこの食事に誘うところが、都会のルールに拮抗する彼女の論理だった。もちろんこれは、件の青年が卯月に気づいてくれなかった寂しさからかもしれない。ただし、ここまでの情報不足は、次の日の場面で大きく転換する。次に観客は、引用された映画をどこかで気に留めながらも、卯月の直接の語りを享受することになる。

Ⅳ　回想と語りによって示された卯月の過去への「視線」

映像の「現在」は、その「現在」を語る映像以外では説明されなかった。観客はさえこが問うた「武蔵野大学」への進学理由も、卯月が本屋「武蔵野堂」を繰り返し訪れた理由もよくはわからないまま、こうした映像の語りを受容していたのである。しかし、どうやらそうした映像の語りだけでは、観客にはこの物語世界を十分に示せなくなってきたのだろう。おぼろげな物語全体は、あくまでも観客による予想でしかない。映像が十分に語ることができなかった物語の全体を示すために、本屋「武蔵野堂」の店員の青年が卯月にとってなんであるのかを、ようやく彼女自身で語り始めることになる。

大学の釣り部に入った卯月は、グラウンドで練習をしているときに、隣のさえこと恋人についての話題で言葉を交わす。

さえこ「卯月て好きなひといるの？」
卯月「えっ？」
さえこ「北海道に恋人、居なかったの？」
卯月「えっ？」
さえこ「付き合ってたひととか」
卯月「片思いならあったけど…」

さえこ「あら、わたしと一緒じゃん」「どんな人？」
卯月「素敵なひと、頭のいいひと」
さえこ「頭いいの？」
卯月「うん、めちゃくちゃよかった」
さえこ「頭いいのが好みなの？」
卯月「そうじゃないけど」

故郷にいたときに恋人はいなかったのかとさえこから問われた。ここから主人公卯月の回想と語りがはじまった。しかし、さえことの最初の顔合わせらしい教室での問いである「なんで、ここの大学を受けたんですか？」がまだ残響していたならば、観客はおおよその見当をつけながら、これまでのこの映像の語りの「現在」を再構築し受容する筈である。そして、上京と大学を受けた理由のあいまいさと書店の青年を結びつけるのはさほど難しくはない。つまり、主人公の回想と語りは、観客のおおかたの予想を裏切らないことで受容される、片思いの物語だった（補注1）。
卯月は、高校生のときにあこがれていた先輩の山崎のことを語りだす。それと同時に映像の語りも「現在」から1年以上前の、あるいは半年前の「過去」へと向かう。場面は、高校生時代の卯月が音楽室でバイオリンを演奏している時空に移った。そのバイオリン曲とともに時空は変容したのである。そして、さらに場面は移り、緑の草原を自転車で駆け抜ける卯月の姿を追うカメラによる映像に、彼女の「去年の春、先輩は東京の大学にいってしまった。もうれつに悲しかった」という語りが重ねられたのだ。そこでは、高校時代の卯月の先輩へあこがれる姿を学校のロッカーを使って示す。そして、そのあこがれの先輩が進学した「武蔵野大学」、後輩によってもたらされた情報による先輩のバイト先本屋「武蔵野堂」、東京の地理的空間としての武蔵野、卯月が読む国木田独歩の作品『武蔵野』と、同じ「武蔵野」という言葉を幾つも重ねながら、卯月のあこがれからさらに彼女がもう一歩踏み出す姿を描いていく。卯月は、彼女の後輩の滝沢まり子がもたらした情報によって、こう語り出していた。

武蔵野の原野を彷徨っていた私は、ついに先輩の居場所を突き止めた。武蔵野の武蔵野堂。…私は、残り半年の高校生活のすべてを、武蔵野にささげた。

「武蔵野大学」、本屋「武蔵野堂」、国木田独歩『武蔵野』とここで繰り返される記号は、卯月がいうように「重要なキーワード」として観客も共有することになる。先のさえこの問いに戸惑っていた卯月の隠されていた「武蔵野大学」への進学理由がここで明らかになると共に、観客からの問いでもあっただろう本屋「武蔵野堂」を訪れた理由も明らかになったのである。もちろんこうした微温的な理由があっただろうとはある程度予想されたことだろうし、予想できた観客はいわば謎解きの心地さを味わうことができたかもしれない。また、これまで映し出された映像とそこでの会話だけによって生み出された、抑制された世界として展開していたこの卯月の上京の物語に、こうした回想という主人公卯月の内的世界が組み入れられたために、ここからの物語世界には大きな質的転換がもたらされることになった。

V　はじまりの物語として統合された観客には甘くせつないものが漂うかもしれない

いわゆる出来事あるいは変化はどしゃぶりの雨のなかで起きた。どしゃぶりの雨が引き起こしたこの山崎との出会いあるいは再会という出来事は、雨に打たれながら走る主人公卯月の姿がなければ、出来事と呼ぶにはあまりにささやかなものだったのかもしれない。

卯月があこがれていた先輩山崎が、この客は同じ高校の出身者なのだと気がついたところから、このささやかな出会いあるいは再会という出来事ははじまったのだ。卯月の山崎を見つめる目はもういままでの彼女とちがった一途さを示していた。それは、これまで観客には隠蔽されていたものかもしれない。それと同時に、山崎から名前を聞かれたときに、「卯月です」と名前から言ったことに気づかなければならない。彼女の上京と進学が微温的な理由だというのは観客の甘さだと気づかされる。学食で佐野さえこに聞かれたときは「楡野」と姓から先に答えていた。それに対し、東京中野区出身の佐野さえこは「さえこ」と名前から先に答える。卯月は、佐野さえこのスタイルを身につけていたといってよい。

山崎「あの、高校、北高じゃないですよね?」
卯月「はい、そうです」
山崎「そうだよね、俺のいっこ下の」
卯月「覚えてますか?」
山崎「おお、ああ名前?」
卯月「卯月です。楡野卯月です」

山崎「ああ、でもどうしてここに」
卯月「大学で……」
山崎「こっちの大学に来た?」
卯月「ええ、武蔵野です」
山崎「えっ、俺も、武蔵野」「ああ、そうなんだ」

都会出身のさえこをお手本にして、それ自体が都会的というわけではないだろうか、大学生として、都会の住人として、ともかく卯月はこの短い期間にも少しずつ変化してきているのだ。

また、ここで確かに山崎が卯月を認識できて、彼女と言葉を交わすようになったのは、卯月にとってはこれまでの状況からの大きな変化である。しかし、だからといって何かがはじまったわけではない。どちらかといえばきまりきった会話を終えて、本屋「武蔵野堂」を出ようとしたと

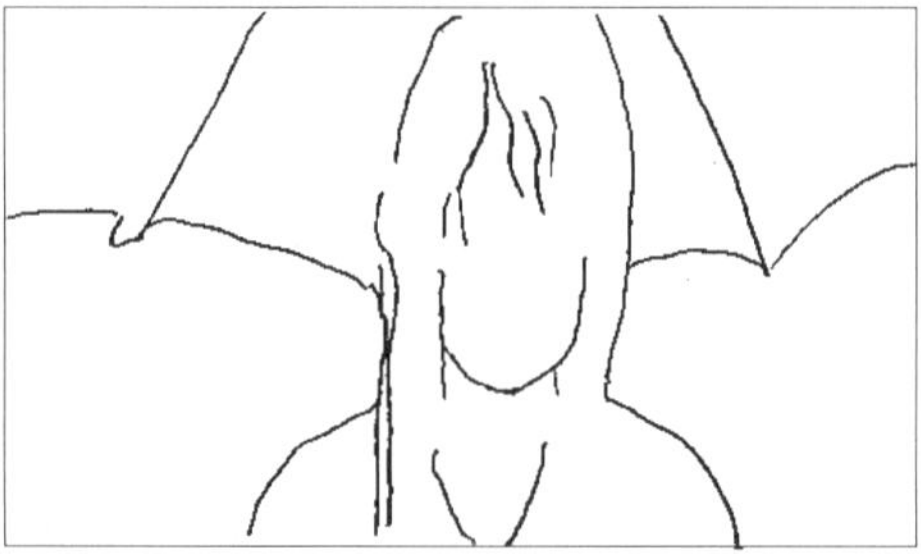

構図2　傘を持つ卯月

き、雨が降り出す。傘を貸そうとする山崎に、卯月は「近くですから」と断る。しかし、雨はひどくなり、途中の他のビルの入口のところで雨宿りをするしかなかった。そこに、そのビルから出てきた加藤に声をかけられ傘を借りる。そして再び本屋に戻り、山崎から傘を借りる（構図2）。傘を借りて傘を借りにいくというコミカルさのなかで、言葉を交わしたいという思いが、交わす言葉以上に膨らんでいく場面である。しかし、繰り返すとそれでもなにかがはじまったわけではない。その予感がそこには漂うばかりである。

その予感を漂わせるささやかな出来事を、卯月にとっての大きなものそして物語のなかの事件とするには、繰り返すならば彼女を雨のなかに走らせる必要があったのかもしれない。どしゃぶりの雨音のなかで、髪を濡らして走る彼女の姿によって、この出来事の、彼女にとっての大きさというものが表現できたのである。小さな嵐のような時間は、これまでささげてきた「武蔵野」に対する直向《ひたむ》きさが報われた至福のときなのである。そして、山崎から傘を借りて、卯月は思い切ったように彼に質問した。

卯月「先輩、今でもバンドやっているんですか？」

山崎「いや。どうして知っているの？」

卯月「先輩、有名だったから」
山崎「うそっ」
（卯月「わたしには」）
卯月「これ、返しにきます」
山崎「いいよ」
卯月「返しにきます」
山崎「ああ」

卯月が口にした「わたしには」という言葉は、山崎には聞こえない。しかし、その言葉の意味を観客は知る。主人公の「視線」ではじまったこの物語が、再び主人公の内的語りを重ねながら、この出来事にたどり着いた。それは卯月の内面をさまざまに表出させ連鎖させることで生まれた、彼女の感情のフィルターを通した出来事なのである。そのため、ここまでの物語世界を享受した観客にとっては、このせりふが意味する卯月の一途な想いを知ることになる。そのことで、主人公の内的世界を強く共有することになったといってもよい。これは、この映画『四月物語』の「視線」と語りの連鎖が生んだ繊細な構造によるものといえるだろう。何よりも、この物語の最初に体験させられた主人公との「視線」の共有がその下地をつくっていた。それによって観客は、主人公卯月と同じようになにかがはじまりそうな予感を手にすることになる。しかも、あの映画のなかの信長のように、それは卯月によって計られた新しい時代の幕開けだったのだ。

こんどは、ＳＦ喜劇映画が物語全体の下地をつくる。ただ、引用された映画がこのような伏線として物語の解読に機能したとしても、このように企んだ卯月のしたたかさといってもよい強さが、それまでの卯月のイメージを崩すことはできない。それは、繰り返すとなにかがはじまったわけではないからだ。

『四月物語』は、その名のイメージ通り、はじまりの物語である。かよわいながらも一途な想いを抱く彼女の姿を、観客はそこにかたどることになるだろう。同時に、連鎖する「視線」と語りで縁どられた「わたしには」という山崎に届かない言葉が、さらに最後の卯月の語りにある「奇跡」という言葉と結びつくことで、物語の享受者のこうした卯月の内面への傾斜はますます強くなる。卯月はこれまでの彼女のイメージを崩すことなく謙虚にこの最後の語りを語りだす。「出来の悪いわたしが大学に合格したとき担任の森山先生は奇跡だといって祝福してくれた。でも、どうせ奇跡と呼ぶなら、わたしはそれを愛の奇跡とよびたい」と。

注1　あえて記すことにしたが、もちろん映画やテレビドラマの観客や視聴者とは、情報を受容し解読する者を、メディアの特性によって分けた歴史的な呼称である。
注2　物語の時間と上映や放送の時間は別であり、物語受容者はいわゆる現実の計量時間の制約を受けながら、物語時間を受容する。しかし、私たちはいつも現在という時点としか出会わないので、その区別がもたらすものは省略表現と歴史表現の問題ではないかと考えている。
注3　個人の意識の初源的なものを、心あるいは精神性とするならば、それはどのようにして手に入れることが可能なのであろうか。いまさらデカルトの、我思うゆえに我あり、でもないだろうが、それは思うという感情の動きに、我というラベルを貼るということなのだろう。そして我というラベルを貼った時に、その我という言葉を共有する人々の間に我が誕生した。同じ意味で、監督やカメラマンという情報の集合点を置くという表現戦略も、それとして共有する人々の間では有効となる。

*

補注1　観客というこの映像の物語の受容者が予想するこの物語の内容は、たとえば先に示される予告編などによっても生まれるだろう。たとえば、「あたしの受験の動機は誰も知らない」(オリジナルビデオ予告編)や「東京でひとり暮らしを始めた女子学生の、ある〝不純な動機〟と小さな冒険の日々」(DVDジャケット裏)などがある。また、NTTのCMに使われたときのコピー「伝える魔法を信じること」も、あらかじめ手にしていたならば、物語の内容を予想する場合に一定の方向性を与えてしまうだろう。

補注2　心というか、あるいは精神性と言い換えてもいいかと思うが、そうした個人の意識の初源のようなものは、そのまま手に入るものではない。自らは、感情や身体を介在しておぼろげにその輪郭めいたものを、それとして感じるのみである。そして、そこに言葉を与えることであいまいな存在の定位を計ろうとする。それが他者の心あるいは精神性であるならば、そこで他者が使う言葉やその組み立てかた、また表情やしぐさなどで、やはりそれとして感じることになる。そこには根拠などは無いものと知りつつ、他者の心をやはり言葉で定位仮設するしかないのだ。しかも、その定位仮設した他者の心は、誰もが共有する言葉を避けることはできないために、結局は自分の心あるいは精神性として定位したものと相似形になることからは逃げられない。

第7章 「文脈」

魯迅『藤野先生』

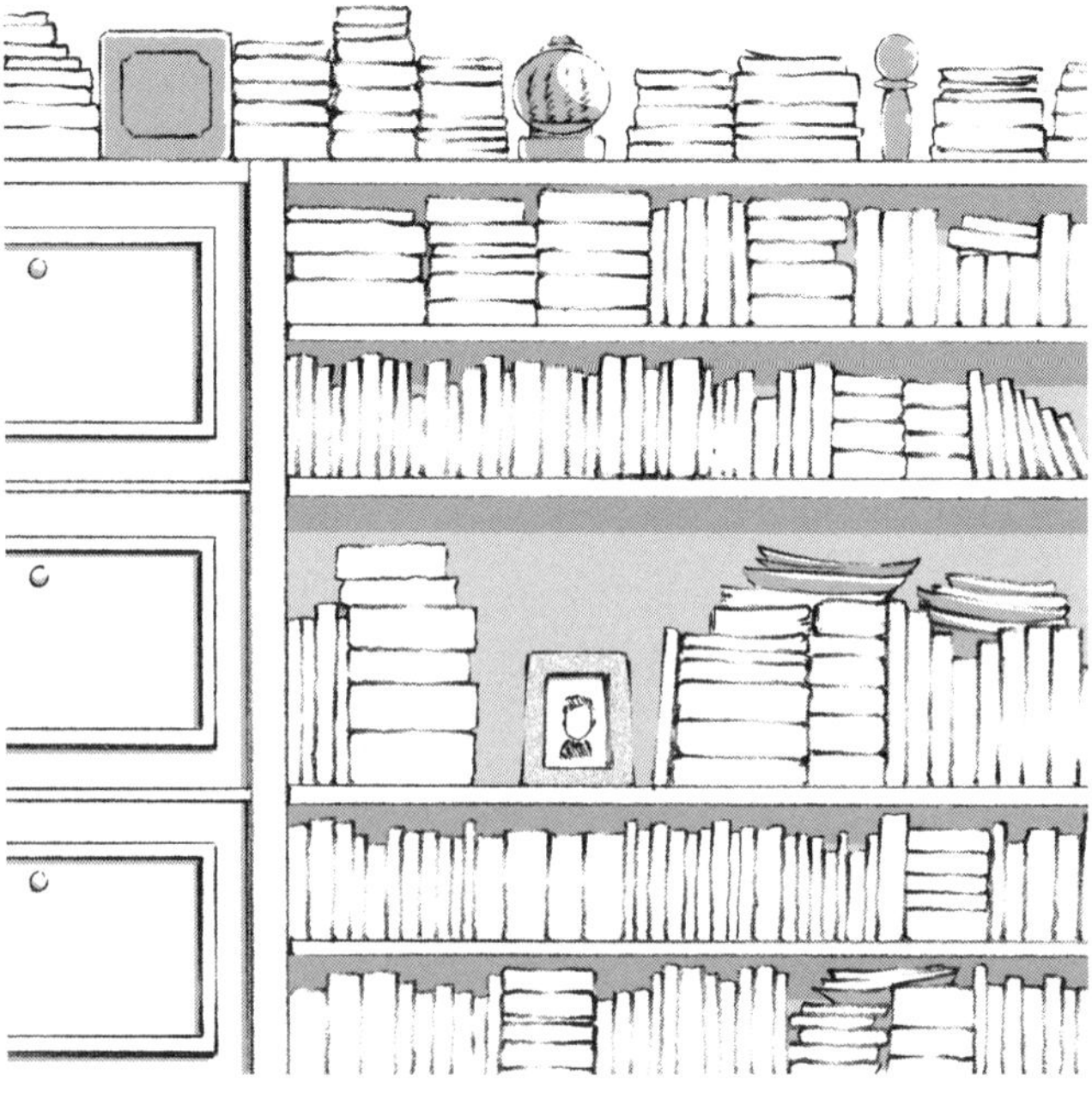

向けられたまなざしで「私」は変えられてしまう

「文脈」によって言葉の意味が変わることは誰も知っていることだ。ひとやモノも、それをどこに配置するか、あるいは何と組み合わせるかで、その意味が大きく変わることがある。教壇に立てば、誰でも教師に見えるだろう。教壇に向けては、学生たちからそのようなまなざしを向けられるし、向けられた当人も教師としての自分に変わらざるを得ない。これもまた「文脈」で変わる事例のひとつだ。ひとはまた、他の迷惑を顧みず自分が納得できる「文脈」に自身を置きたいと願うものなのかもしれない。もちろん、いい意味でも悪い意味でも「文脈」など考えないひともいる。

それに対して、たとえば旅は、移動することで自分が置かれているいつもの「文脈」を換えることなのかもしれない。「文脈」が換われば自分自身の意味も換わるからだ。日常性からの解放や新たな自分の発見など、そんな旅のコピーも生まれそうである。自分の意味を換えること、それを一時的に楽しむことが旅なのである。ある場所での非日常性とは、その時空が持つ意味ではなくて、そこに身を置く自分自身にとってのそれなのである。

留学生という「文脈」に置かれたら、どのようなまなざしにさらされるのだろうか。外国人であり、かつ自国以外で学ぶ学生であるという、こうした二重のまなざしがどういうものなのかを、実は私自身は経験したことがない。単なる旅行は別として、大学の教員という属性を持ってからでしか、海外の大学を訪問していないからだ。しかし、教員という属性を持ちながら、海外の大学に滞在するのもまた面白い。相手の大学やそこの教師のプライドのありかたによって、私へのまなざしが変わることがあるからだ。相手が持っている文脈、つまりはものさしによって変えられる私を楽しむということである。

まだ大学院学生の頃の古い話だが、私が今でも住んでいる私鉄沿線には、近隣に住まわれていた国文学者の佐藤勝先生や平岡敏夫先生がいらっしゃって、時々お声がけすることもあった。佐藤先生には、予備校での授業のお話を伺うこともあれば、大学での講義のお話を伺うこともあった。その後の、これは21世紀での話だが、平岡先生は70代の半ばくらいの頃と思う。が、それでもまだ先生は非常勤講師でどこかの大学院で教えられていた時の話である。その授業の帰りにはたいてい店で飲んで帰るということをお聞きした。どこで飲まれているのかお聞きしたら、もう私は汚い爺だから、それに合わせて汚い店だよと笑いながらおっしゃられた。近隣に住んでいる私には、すぐにそれがどこの店なのかわかったが、先生もまたいつもと違うまなざしを向けられることを楽しんでいたのだなと思った。今でも、ビールケースを椅子代わりにした居酒屋の店先で、お酒を楽しまれているそのお姿を想像してしまう。日常の「文脈」でのまなざしから、時々は逃れたいと思われたのであろうか。

Ⅰ　場所が変われば「私」の意味も変わる

魯迅が1926年12月に発表した小説『藤野先生』は、魯迅自身の日本留学体験を基にした小説として広く日本で読まれてきた。特に、ここに描かれた留学中に起きた幻燈事件は、その後の主人公の生き方を変えた出来事として描かれ、またそれが魯迅自身の生き方と重なるように読まれたのである。主人公を魯迅に重ねることで、作品の評価は高められてきたとも言える。後には、魯迅自身が日本で選集出版の折に、この『藤野先生』だけはいれてもらいたいと言ったと伝えられたことからも、作家からのメッセージ性をこの作に重ねる傾向が読者に強くなったのだろう。ここでは、『藤野先生』というテクストを、同時代の文化的な「文脈」に置くことで、小説テクストの構造を手に入れる。さらにそこから、「幻燈」と「写真」の役割を検証し、物語内部でのそれぞれの意味を明らかにしたいと思う。

『藤野先生』は、「東京も格別のことはなかった。」という一文で始まる。この「も」は、もちろん日本の他の都市と比較して言ったことばではない。主人公「私」は、魯迅自身と重ねなくとも、中国から来たばかりだと想像されるからである。では、この「も」は、どういう意味なのか。この段落では、中国語「世無非是這様」でも、この翻訳された日本語でも、この「も」は、その後にこれも原文共にカッコ付きで書かれている「清国留学生」がいることとでの空間的な凡庸さを示していることになる。だからこそ、「ほかの土地へ行ってみたら、どうだろう」ということになるのだった。

そこで仙台に向かった「私」は、途中の「日暮里」「水戸」を「記憶」した都市名としてあげるが、「水戸」に関しては江戸期の朱舜水の名をさらに挙げている。これは漢民族の出身者なので、こうした冒頭での中国に関係した話題の箇所は、「私」が漢民族であること、それに対して「清国留学生」の満州族（女真族）との二項対立が明確化されていたのである。それには、1911年の辛亥革命、翌年の孫文が臨時大統領となる中華民国の成立が背景にあった。「辮髪」は日本の「ちょんまげ」に相当する前時代的遺風であり、反近代の象徴でもあった。それに対して、明末清初の朱舜水は浙江省に生まれた漢民族出身の儒学者で、清朝と戦い江戸初期日本に亡命した人物である。この「漢民族」・「亡命」

といった共感からも、「私」は、漢民族としての意識を持つ人物としてここに登場していたのである。仙台については、「市ではあるが、大きくない」(「市鎮」で「并不大」)と説明するとき、これが中国の読者に向けての語りだという当然のことに、あらためて気づかされる。当時の仙台市は一〇万人位の人口であり、国内の大都市とまでは呼べないにせよ、大きな街であった。しかし、そうした小さなエリアとしたからこそ、「中国の学生は、まだいなかった」という表現のなかの「学生」に焦点が絞られた説明になる。後に仙台は帝国大学が設置されて、「学都」となっていく。たったひとりの「私」、つまり「大きくない」街で、「中国の学生」である「私」が浮かび上がり、「物」のように対象化される準備が整ったのである。

おそらく物は稀なるをもって貴しとするのであろうか。北京の白菜が浙江へ運ばれると、先の赤いヒモで根元をゆわえられ、果物屋の店頭にさかさに吊され、その名も「山東菜」と尊んで呼ばれる。福建に野生する蘆薈が北京へ行くと、温室に招じ入れられて「竜舌蘭」と美称される。(魯迅『藤野先生』)

この新しい段落での、「おそらく物は稀なるをもって貴しするのであろうか。」という一文は、続く二つの具体例が、「私も、仙台へ来てから、ちょうどこのような優待を受けた」という説明に結びつく。しかし、こうした「私」という人物造型を「物」に例える謙虚さこそが、たったひとりの「中国の学生」として空間のなかに縁取られたイメージから生じたものであり、その後の事件の前景化を演出するものだった。しかしそのことにはまだ読者は気が付かないだろう。そして、その後の事件は再びこうした「物」の話題に収斂していくことになるのだが、このはじめに配置された「物」に喩えられた「私」が、新しいメディアである、もうひとつの「物」＝メディアに推移していくことでこそ、表現できる「私」のありようがあったのだ。しかし、先を急ぐことなくここではもうすこし「白菜」の登場を辿ることにしたい。

Ⅱ 「白菜」、「籚薈」そして「トルストイ」も「文脈」で意味が変わる

具体的な「物」である北京の「白菜」が浙江省では「膠菜」に、福建省の野生のアロエである「籚薈」が北京の温室で「龍舌蘭」に変わるように、「文脈」によって「物」の意味は変化する。そのことが、「藤野先生」ではいくつもの事例が繰り返されていた。そし

て、次には「物」の位置に「私」を重ねる。「宿屋が囚人の賄いを兼業するのは私に関係のないことだと思」うのに、「ある先生」は「そこに下宿しているのは適当でないとい」う。その先生の「好意」を無にするわけにはいかなくて、下宿を移ると「喉へ通らぬ芋がらの汁を毎日吸わされた」とある。文化的な「文脈」による価値の相違は、思わぬオチがついたのである。こうした再び「私」をあたかも「物」のように置いて、そこからの視点を一つ差し込みながら、「文脈」で「物」の意味が変わるという事例を、具体的に繰り返している。ここであえて「物」にたとえられた「私」という主体が強調されることになった「留学生」や「中国の学生」として一面的に認識される「私」という姿だ。さらに、「服の着方が無頓着である」ために「スリ」に間違われる「藤野先生」の話だけではなく、次には、新約聖書の言葉「汝悔い改めよ」が、トルストイによって人道主義的に使われ、またその影響を受けた日本の学生に糾弾の言葉として使われたことを取り上げる。すこし戻ることになるが、「中国人の霊魂」や「中国女性の纏足」も同じ例かもしれない。いずれにしても、「文脈」で意味が変わることが繰り返されていた。だからこそ、最後に取り上げられた事例である、「中国は弱国である。したがって中国人は当然、低能児である」という差別に行きあたることの重みは大である。つまり、文化的な「文脈」で差別もまた生まれるものなのだと「私」は考えるのだ。

Ⅲ 「幻燈」が「私」の置かれた「文脈」を変えていく

次に、「だが私は、つづいて中国人の銃殺を参観する運命にめぐりあった」のだと続く。それは、細菌学の授業の後での「時事の畫片」を学生たちと「幻燈」で「見」た時のことだという。ここでの「運命」とは、たしかに劇的なめぐり合わせの意味ではあるのだが、同時に受容者の持つ「文脈」によってその映像の意味もまた異なることが強調されている表現だったのだ。日本人にとっての意味と中国人留学生の「私」にとっての意味では、その映像の意味は大きく異なるのである。いくつもの意味が変化し相対化される事例の後に、この「幻燈」が登場し、その映像の意味を受容した「私」の意味受容の場に、さらに「運命」という言葉が重ねられるからだ。

魯迅とほぼ同時代人であるベンヤミンによる映像論では、「芸術作品は、それが存在する場所に、一回限り存在するものなのだけど、この特性、いま、ここに在るという特性が、複製には欠けているのだ」（『複製技術時代の芸術作品』Ⅲ）といっている。いわゆる複製芸術における「アウラ」の消滅なのだが、この同じⅢでさらにこう続けていた。

一般論として定式化できることだが、複製技術は複製されたものを、伝統の領域から切り離してしまうのである。複製を大量生産することによってこの技術は、作品の一回限りの出現の代わりに、大量の出現をもたらす。そして受け手がそのつどの状況のなかで作品に近づくことを可能にすることによって、複製された作品にアクチュアリティーを付与する。（ベンヤミン『複製技術時代の芸術作品』）

この期の複製技術が生み出したものは、「一回限り」を失うことで、それらが「伝統の領域から切り離」されて現前するごとに「アクチュアリティー」（現実み）が生まれると考えたのである。つまり、「運命」とまで表現した「幻燈」を「私」が観た場面は、そうした「運命」としての「アクチュアリティー」を示していたのである。その場面とは、「放課の時間にならぬ」時に上映された「幻燈」での、「日本がロシアと戦って勝っている場面ばかり」で、そのなかに「中国人」が「現われた」映像である。以下のように、緊張感をはらみながら「中国人」としての「私」の「運命」が説明される。

ところが、ひょっこり、中国人がそのなかにまじって現われた。ロシア軍のスパイを働いたかどで、日本軍に捕えられて銃殺される場面であった。取囲んで見物している群衆も中国人であり、教室のなかには、まだひとり、私もいた。（魯迅『藤野先生』）

ここで「まだひとり」（還有一個我）と「私」を「群衆」に加えて説明しているのは、「私」がこの教室にいた「中国人」であることからだけではない。それだけに留意すると、「教室」のなかのひとりの「中国人」であることばかりが強調されて、仙台到着から始まる「私」の「稀なる」（物以希為貴）在り様だけが響くことになってしまう。ここでの「まだ」に込められているのは、むしろ複製技術である「幻燈」が生み出した「アクチュアリティー」に他ならない。「群衆」も「私」も、共に「取り囲んで見物している」のだ。そして、「私」は、「伝統の領域から切り離」された「アクチュアリティー」のなかで、教室にいた日本人とは別の意味を映像に見出した。そこには、漢民族も満州族もない。「私」は、自ら進むべき道に気がつくのだった。

その後、中国へ帰ってからも、犯人の銃殺をのんきに見物している人々を見たが、彼らはきまって、酒に酔ったように喝采する――ああ、もはや言うべき言葉はない。だが、このとき、この場所において、私の考えは変ったのだ。（魯迅『藤野先生』）

さらに、中国帰国後の場面と連続させることで、同じ中国人であっても「群衆」に対する「私」の立ち位置の違いが少しずつはっきりとしてくる。指導者としての自覚と言ってしまうと凡庸に響くことになるかもしれない。「文脈」の中で、「白菜」や「蘆薈」のように変えられてきた「留学生」の「私」だが、幻燈の映像によって、「伝統」から「切り離」されて、ある意味超越的で「文脈」によって変わることのない「私」そして人間というものを発見できたのである。そして、「私の考えは変った」（我的意却変化了）ということを屹立させることになる。その「考え」を想起させるには、この「私」がここにいる教室という時空（但在那時那地）が、現実に「群衆」がいた時空と距離を持ってなくてはいけないのである。それもまた「伝統」から「切り離」されることで可能になったのだ。20世紀前半での同時代的な複製技術の「アクチュアリティー」が、ここでは機能している。しかし、同時代の複製技術によるメディアのサイレント性は、現実の「歓声」や「喝采」の欠如が伴っていた。この「幻燈」事件が重要なのは、その場に存在した「群衆」の声を消して、教室の「彼ら」の「歓声」を加えていたことである。この視覚的な「複製技術」にこうした言語表現を加えることで、ここでの抽象的な中国人という「アクチュアリティー」は生まれていたし、映像のテクスト性すらも示されていた。

こうした「幻燈」という「複製技術」による「アクチュアリティー」が、このテクストではどのように生まれているのかに留意したい。サイレントの映像に教室の「歓声」が重ねられたことで、もたらされたことである。つまり、ここでは、「幻燈」によるサイレント映画の再現に、教室の声を書き加えたことで、いわば言葉で補強された「アクチュアリティー」がこのテクストに生まれたのだ。そして、このことで、「幻燈」が登場しない他の場面の「アクチュアリティー」に落差を生み出していることがわかる。「運命」という言葉が読み手に表現として屹立するのは、こうした映像と言葉が組み合わされた強度の「アクチュアリティー」生成の場面に置かれたからであった。「私」はここで別の「文脈」に置かれることになった。

Ⅳ　テクストとしての「写真」の機能に気がつくならば

「運命」というドラマのために、「写真」を介在した帰国による別れの場面が必要だったことを見落としてはならない。たとえば、医学専門学校を退学し、仙台を去る「私」が、どのように「考えが変わった」のかは、読み手に向けてまだどこにも明らかにしていない。ただ、「中国は弱国である。したがって中国人は当然、低能児である」という文化的な文脈のいびつな存在に気がついた「私」は、「見物」「喝采」する「群衆」「人々」の姿に対して大きく自分の人生を変えていくというだけなのだ。ただ、こうした、「運命」という表現と「アクチュアリティー」の強化は、それが次に「写真」という複製技術が生む「アクチュアリティー」の問題へと移ることで、これまで「文脈」によってさまざまに変化してきた「私」を明確化、そして定位化するのである。

仙台を去る直前に、「藤野先生」との別れの場面が用意されていた。そこで、「藤野先生」は「写真」の交換を申し出るのである。この時代の「写真」は、一般的には写真館を利用して、写真師から撮影してもらう。どの街にも写真館があったといえるほど、それはきわめて日常的なことである。

出発の二、三日前、彼は私を家に呼んで、写真を一枚くれた。裏には「惜別」と二字書かれていた。そして、私の写真もくれるようにと希望した。あいにく私は、そのと

き写真をとったのがなかった。彼は、後日写したら送るように、また、時おり便りを
　書いて以後の状況を知らせるように、としきりに懇望した。（魯迅『藤野先生』）

「藤野先生」の「写真」には「惜別」と記されている。まず「写真」であることで、「伝統」から「切り離」された「アクチュアリティー」をそこで受け取ることができるだろう。たとえば、先のベンヤミンの表現を借りると「受け手がそのつどの状況のなかで作品に近づくことを可能にする」というように、受け取った「私」は、どこにいても、そこにいた「惜別」の「藤野先生」に「近づく」ことができるのである。

そうだからこそ、「私」は「写真」を「藤野先生」に送ろうとしなかった。「多年写真をうつさなかった」ことも、「状況も思わしくな」かったことも、確かにその理由であろう。しかし、仙台時代に「下宿」を「ある先生」から「そこに下宿しているのは適当ではない」と言われ、引っ越した「私」である。「私」の「考えは変った」とあったのは、「文脈」によってさまざまに受け取られるそれ以前の、留学生として「私」からの変化も示していた。もはや「私」はあの「白菜」ではないのである。このテクストのどこかに、何かその理由が見え隠れしていないだろうか。

登場人物「私」にとっては、「自分の師と仰ぐ人のなかで、彼はもっとも私を感激させ、私を励ましてくれたひとりである」という。さらに、彼から与えられた「熱心な希望」と「倦まぬ教訓」を振り返りもする。彼の「性格」を「偉大」と評価さえしていた。それでも「写真」をここで「私」が交換しなかったのは、この当時に「私」が受けとめていた複製技術によって生まれる「写真」の「アクチュアリティー」からではないだろうか。つまり「私」には「藤野先生」の「写真」は「運命」の転機を与えてくれた日本仙台の「師」としての意味を持っているからだ。

ただ彼の写真だけは、今なお北京のわが寓居の東の壁に、机に面してかけてある。夜ごと、仕事に倦んでなまけたくなるとき、仰いで灯火のなかに、彼の黒い、痩せた、今にも抑揚のひどい口調で語り出しそうな顔を眺めやると、たちまち私は良心を発し、かつ勇気を加えられる。そこでタバコに一本火をつけ、再び「正人君子」の連中に深く憎まれる文字を書きつづけるのである。

「藤野先生」は、いつも「私」に「良心を発し、かつ勇気を加えられる」存在として、

「私」に向かうのである。そしてテクスト末尾で、「私の考えは変った」ということの内実が示される。「私」は医学の道を辞め、「『正人君子』の連中に深く憎まれる文字を書きつづける」道に向かったのだった。それは、大きくは「中国は弱国である。したがって中国人は当然、低能児である」という一節を踏まえた、「中国のため」の仕事ということになる。そして「書きつづける」「私」ならば、先行する時期や前段階といった「アクチュアリティー」を含み持つ「写真」の「私」を否定しなければならない。つまり、もはや「白菜」のような「私」ではないということである。そして、これからもさらに「書きつづける」「私」でなければならない。このテクストの後半では、そうした「私」の変化の兆しが「運命」という表現で描かれ、また、いかようにも解読される別の「文脈」を持つ以前の「私」の「写真」は藤野先生に渡せなかったのだ。もし渡すべき「写真」があるとすれば、変化した結果としての「私」の「写真」であり、しかし「私」にはまだそうした「写真」はまだ持ちあわせてはいない。かつての「文脈」のなかでの「白菜」のように変化していた「私」でなく、「描き続ける」「私」に変化しようとしていたため、「藤野先生」が求めたテクストとしての「写真」を「私」は否定していたのではないか。

※『藤野先生』の日本語訳は、岩波書店版『魯迅選集』第2巻（1956年。ただし1980年の第8刷を使用）を引用した。原文は、魯迅全集出版社『魯迅全集』二〇巻本（1938年）を参照した。また、ベンヤミン『複製技術時代の芸術作品』は、岩波現代文庫版（2000年）を引用した。

あとがき、のように

I　大学教育の変化

多種多様の知識・情報が容易に入手しやすくなって、大学教育もまた大きく変化してきた。極端な話、大学教育で必要なことは、まず知識・情報をどのように取り扱うかという、いわばスキルや方法の話題に移ってきたのである。知識・情報は、ネット上に大量に蓄積されているからだ。

かつての高等教育とは異なり、スキルの修得が重要視されると、学問領域によってはなかなか適合しない分野もあるだろう。なぜなら、そこでの教育プログラムとは、誰もが一律に同じことを学修できて、同じように成果が生まれるはずだということになるからだ。そして、成果が同じでなければ教育する側に問題があるとされる。そこには時間が誰にとっても同じものとして計量できるという考えがあるらしい。人によって成熟の仕方が違うだろうし、必要になってこそ情報や知識も意味を持つ。そんな当たりまえのことを忘れて、大学教育の質向上という名のもとに、卒業という到達日標までに保証できるスキル修得の教育プログラムを与えるのが、大学の責任だと言われるようになったのだ。

新制大学と呼ばれる今日の大学は、戦前期の旧制高等学校や大学予科そして旧制専門学校と旧制大学を統合したものである。確かに、旧制高等学校や大学予科での教育内容は、外国語や教養といった知識・情報の伝達が中心だったと言えなくもない。到達目標などとは無縁の哲学や文学の授業が多く用意されていた。旧制大学での研究に向けて、語学などのスキルを身につけさせるだけでなく、物事を考えるための授業も用意されていたのである。戦後の新制大学は、簡単に言うと、研究機関としての旧制の大学、その予備教育の高等学校や予科、実学教育の専門学校との統合だった。新制大学としての蓄積を考えないならば、旧制の大学を大学院大学に、旧制の高等学校と大学予科と専門学校を大学に、というのは以前からの文部科学省による研究型大学と教育型大学という役割区分と結びついているのだろう。それでも、かつての旧制高等学校には、そして担当教官の専門領域によっては、外国語教育の中に哲学や文学が組み込まれていた。そうした授業で学生たちに学ぶために必要なこと、生きるために必要なことを考えさせていたのだと思う。

現在の大学教育をスキルの修得を学びの中心にするというのならば、そこに人間や社会に必要なことは何なのかを学生に考えさせる哲学や文学を必ず配置しなければならないと思う。極端に言うと、学生の誰もがもし研究という領域に向かうならば、言い換えると、大学院での専門研究に向かうならば、学部教育では哲学や文学を中心として、そこに知識・情報の収集方法と必要なスキルの修得を加えることで十分なのかもしれない。人文学を専攻する私としては、学部や学科のレベルでは、もはや専攻の区別などいらないのではないかと考えている。

Ⅱ　今、大学で

無理やり戦前期の異なった学校種の統合があったにせよ、かつて70年代までの新制大学は学問の場であった。旧制の大学や大学院出身の実学教員が多かったからだろう。そうでなくとも、まだ戦前戦後の大学文化が色濃く残っていたのだろう。講義やゼミなどで、自分が知らないことを教えてもらうという緊張感と大学ならではの新しい知識の面白さは、以前の大学教育の根幹にあったのだと思う。この面白さ、わかるやつにはわかるのだろうなという思いは、あまり真面目でない私程度の学生にもあった。大学で学びたいという気持ちがあったからだ。今でもそういう学生は教室のどこかにいると思う。必要になってこその知識なのである。

ただ今日、教室で学生たちが知らない知識などを話すと、彼らはすぐに情報端末で検索を始める。新しい知識・情報のウラを取るのである。それはまだまともな学生だという声もある。教室で話すことが全て情報端末で検索できてしまうのかというとそうでもない。あまり知られていない知識や忘れられた知識そして埋もれた資料や未発見の資料などがないわけではない。そうであっても、各地の図書館や古本屋で資料を探し回り、アポを取って関係者から話を聞くなどといった、かつては学部学生でも足で稼いでいた調査研究は、領域によってはかなり少なくなったのだろう。これは、高等教育の大衆化というよりは、高度情報化社会での高等教育のありかたの問題なのである。今や、世界の高等教育の内容もまた情報として世界に向けて公開されてしまう時代である。公開されることで比較もされる。そして、授業内容の評価やランク付けも生まれることになる。やがてそこに教育の方法や評価の専門家が登場し、次に高等教育に関するコンサルタントあるいはその類似品などが大学でビジネスをする。そんな情況は、教師としての私にはつまらない展開でしかない。授業内容をより良いものとするために努力をしない教師はいないからだ。

Ⅲ　文学の授業から

かつての文学の授業は、作家の具体的な人物像とそこから生まれる作品の秘密という物語で組み立てられることが多かったように思える。本や論文に書かれていないことなどを、文学教師は楽しく語っていた。実際、彼らの多くは現実としてあるいは意識の上で、まさに自らの審美眼を信じる文学者であり、同時代の作家や文学者についての話題が豊富だったのである。古美術鑑定のテレビ番組で、鑑定人の語りを聴くと、かつての文学の授業を思い出す。当時、いくつかの大学の講義にもぐり込んだことがあった。そこで、高名な教師による絶妙な語りの講義を聞いたことがあったのだ。

しかし、今日、作家や作品に関する情報は、その他の学術情報も含めてネット上で簡単に手に入る時代となった。たとえば、研究論文やデータだけでなく貴重な書籍もネットで公開されている。また、海外も含めて書店や古書店からの書籍の購入も可能なのである。

このような高度情報化社会で、もし文学の授業が成り立つとすれば、どのような内容となるのだろうか。近代日本では、文学概論という講座で文学の分類とその体系化について講じられ、さらに先の審美眼あるいはイデオロギーによる本質論や価値論が展開していたようである。つまり、何が文学であるのか、また何のための文学なのか、さらにひと言で言うと、文学とは何か、ということである。やがて、審美的印象批評の傾向が糾弾されて、学問としての論証性や論理性そして実証性が求められた。

そうした傾向は、やがて反転して文学の読者の受容に関心が向けられるようになる。文学の授業では、受容理論や批評理論によるテクストと向き合う方法論の講義や、解釈が生まれる文化的な背景や力学などの講義となっていく。

Ⅳ　あとがきの方へ

ここでは魅力的なテクストを、それぞれに私が取り上げた「言葉」から解読説明したものである。受容理論や批評理論としてパッケージ化された知識を使うことはなるべく避けたいと考えた。テクスト解読のためのスキルを説明することやスキルの修得を促すことよりは、テクストにどのような言葉で向き合うのか、その言葉を使うことでどのように精読できるのかということをここに書いたつもりである。そしてまた、これが私の文学に関する授業の内容でもある。ある程度の知識は、誰でもすぐに手に入る高度情報化社会となった。しかし文学の領域では、自分自身が表現というものにどのような「言葉」で向き合うのかが、とても重要なのである。繰り返しになるが、必要になってこそ情報や知識そして受容理論や批評理論などの方法論も意味を持つのである。ここでは、私のこの精読のスタイルを、読む流儀としたい。

さて、長々と書いてきたが、言視舎で出版できることを喜びとしたい。鷲田小彌太さんの御紹介である。そして、長くご教示いただいている中澤千磨夫さんもまたご著書を言視舎より出版されている。敬愛する師とも呼ぶべき畏友のお二人に感謝したい。また、本企画の出版快諾をいただいた杉山尚次編集長にも、スタイリッシュなイラストを描いてくださった工藤六助さんにも感謝申し上げたい。

2020年2月16日　長崎空港から大村湾を眺めながら

初出一覧

「はじめに、として」（書き下ろし）
第一章　新海誠「ほしのこえ」論
第二章　江國香織「デューク」論　十文字学園女子短期大学「十文字国文」第18号　２０１２年３月
第三章　「about love- 上海」『恋する人文学』翰林書房　２０１６年３月
第四章　「八つ墓村」論　『横溝正史研究６』戎光祥出版　２０１７年３月
第五章　芥川龍之介「妙な話」論　武蔵大学人文学会雑誌第48巻２号　２０１７年３月
第六章　映画「四月物語」論　十文字学園女子短期大学「十文字国文」第７号　２００１年３月
第七章　魯迅「藤野先生」二松学舎大学「大学院紀要　二松」第31集　２０１７年３月

※ただし多くの箇所に手を加えた。

主な著書および編著本※（共編著○を含む）リスト

『映像批評の方法』（1996彩流社）
『時をかける少女たち』（2001彩流社）
『文章力をアップさせる80の技術』（2003すばる舎）
『「大学」活用術』（2005松柏社）○
『原作文芸データブック』（2005勉誠社出版）※
『宝塚歌劇団スタディーズ』（2007戎光祥出版）※
『オタク文化とニセモノビジネス』（2008戎光祥出版）
『横溝正史研究　創刊号』（2009戎光祥出版）／現在第6号刊（2017）○
『20世紀メディア年表』（2009双文社出版）※
『アロマテラピー読本』（2010青山社）○
『文学レッスン近代篇』（2011三省堂）○
『メディア文化論』（2013ナカニシヤ出版）○
『生きる力がわく「論語」の授業』（2013朝日新聞出版）※
『ショッピングモールと地域』（2016ナカニシヤ出版）○
『「論語の学校」入門編』（2018研文社）13の研文社版※
『「論語の学校」時習編』（2018研文社）※
『フードビジネスと地域』（2019ナカニシヤ出版）○
『文学部のリアル、東アジアの人文学』（2019新典社）※
『増補20世紀メディア年表』（2019言視舎）9の増補版※
『漢学と漢学塾』（2020戎光祥出版）／『講座　漢学と近代日本』（全八巻の第三巻）○
『漢学と教育』（2020戎光祥出版）／『講座　漢学と近代日本』（全八巻の第五巻）○
『大学と地域』（2020ナカニシヤ出版）○
『読む流儀』（2020言視舎）
『漢学と東アジア』（2020戎光祥出版）／『講座　漢学と近代日本』（全八巻の第八巻）※
『長崎の極み』（2020言視舎）予定
他に、共・監訳『ジョンファウルズの小説と映画』（松柏社）、『パール文庫』全20巻（真珠書院　復刻児童文学の選集）など。
また、小論文の受験参考書なども多数。

[著者紹介]
江藤茂博（えとう・しげひろ）
1955年生、長崎市出身。
武蔵大学人文学部社会学科卒業、立教大学大学院文学研究科博士課程後期満期退学。二松学舎大学文学博士。専攻は文芸・映像・メディア文化論。十文字学園女子大学教授を経て二松学舎大学文学部教授。文学部長、文学研究科長を経て学長。その他に国内外の大学での客員教授など。

ブックデザイン………長久雅行
イラスト………工藤六助
DTP制作………勝澤節子
編集協力………田中はるか

読む流儀
小説・映画・アニメーション

発行日❖2020年3月31日　初版第1刷

著者
江藤茂博
発行者
杉山尚次
発行所
株式会社言視舎
東京都千代田区富士見2-2-2 〒102-0071
電話 03-3234-5997　FAX 03-3234-5957
https://www.s-pn.jp/
印刷・製本
中央精版印刷㈱

ISBN978-4-86565-171-3 C0095